Une heure
de ta vie

DU MÊME AUTEUR

LE CLOCHER ET MON COEUR, poèmes, 1954.
ARC-EN-CIEL, poèmes, 1960.
DOM EMMANUEL, LE DIABLE ET L'ANNÉE SAINTE,
    récit-nouvelle, 1976.
L'ÂME EN PIÈCE, poème, 1978.

JEAN-RAYMOND BOUDOU

Une heure de ta vie

ROMAN

PIERRE TISSEYRE
8955 boulevard Saint-Laurent — Montréal, H2N 1M6

Dépôt légal : 4e trimestre 1982
Bibliothèque nationale du Canada
Bibliothèque nationale du Québec

Maquette de la couverture : Liliane Landry

Au décollage, j'éprouve toujours un malaise indéfinissable. J'ai beau vouloir le dominer, une sorte d'angoisse m'étreint, lente et insidieuse à mesure que l'avion roule vers son point d'envol. Là, les quelques secondes où l'appareil s'immobilise sont pour moi une éternité, mais, curieusement, le hurlement des réacteurs me libère. L'oppression se fait moins étouffante et je m'abandonne à la puissance déchaînée des quatre gueules d'acier qui avalent le vent.

Déjà, sous les ailes du Boeing, Mirabel s'amenuise, devient maquette sur le tapis vert de son environnement. J'ai fermé les yeux. Non pour me détendre et jouir de cette libération que procure un départ aérien, mais pour arrêter un flot de larmes. Ce n'est pas le moment de craquer. Le drame que je viens de vivre doit rester au sol. Je m'en évade. Je m'en suis évadé. Et cependant, cette émotion soudaine, incontrôlable, me prouve que j'en suis encore le prisonnier. En me quittant, Lydia, elle-même, avec ses phrases un peu simplistes me l'a laissé comprendre. Comme je tentais de la retenir dans mes bras, elle s'est dégagée, sans vivacité certes, mais sans hésitation :

— Pour oublier, il faudra oublier. Mais pour moi, ne force pas le temps.

J'ai essayé de m'accrocher:

— Et les enfants?

— Quoi les enfants? Tu restes leur père bien sûr. Et je ne dirai rien contre toi, jamais. Ne m'en demande pas plus pour l'instant.

Oui, il faudra bien oublier. Tout oublier; même l'exaltante passion qui m'a jeté hors des routes tracées pour me laisser croire, certains jours, qu'une vie pouvait miraculeusement sauter de l'automne au printemps. Or, on ne déchire pas les pages écrites par les années. Le torrent des émotions peut bouleverser un homme de mon âge, l'emporter, le rouler dans l'éblouissant soleil, il ne l'entraîne jamais jusqu'au terme des plénitudes espérées. Et pourtant, à cette minute où je laisse derrière moi, dans mon pays, des êtres que j'aime, je n'arrive pas à raisonner autour des mots «regrets» ou «remords». Ils n'ont pas de sens. Du moins, pas celui qu'on a coutume de leur donner.

Et puis non! Je ne veux pas gâcher ces quelques heures de voyage qui sont toujours une parenthèse, un répit volé à la routine et au temps. Une fois bien installé dans cet immense autobus volant, le malaise du départ s'estompe même si, très loyalement, je dois reconnaître qu'il ne me lâche pas tout à fait. Mais j'aime cette ambiance unique, ce va-et-vient des hôtesses — et les regards qui les suivent —; cette sorte de rituel qui va des mots de bienvenue à ceux d'un aimable au revoir, en passant par toutes les étapes de la vie de bord: boissons, repas, film, boutique hors taxes, et, au petit matin, avec le café ou le thé, la longue attente aux portes des toilettes pour tenter de se revigorer un visage quelque peu fripé par une nuit d'insomnie.

6

J'ai une assez bonne place. Sur le côté. Trois sièges. Je dis «assez bonne» car j'ai celle du milieu. À ma droite, un petit garçon d'une dizaine d'années. Ses parents sont de l'autre côté de l'allée. À ma gauche, une femme. La quarantaine. Élégance discrète et de bon goût. Parfum léger, agréable. En prenant mon siège, nous avons échangé un sourire poli, et quelques mots, ensuite, pour lui aider à attacher une ceinture récalcitrante.

Autrefois — je veux dire avant, j'aurais profité de cette entrée en matière banale pour essayer d'aller plus loin; dans la conversation d'abord. Et chacun sait que rien n'est plus propice qu'un voyage pour sonder tous les aspects merveilleux de l'imprévu. J'ai d'autres soucis en tête. Le champagne qu'on vient de me servir va alléger, je l'espère, ce cafard qui pèse sur mes épaules comme un bras trop lourd. Plus tard je ferai le point. Et d'ailleurs, il est tout fait, le point: dans le cadre des échanges franco-québécois, je pars pour six mois à l'Université de Toulouse, donner une série de cours sur notre littérature. C'est tout simple, le point: six mois à l'étranger — même si pour nous, la France, ce n'est pas tout à fait l'étranger.

J'ai voulu ce départ. Il n'y avait pas d'autre solution. Elle aussi était partie. Partie la première. «Le plus loin possible» m'avait-elle dit. Et un matin, dans mon bureau de l'Université, juste au moment où j'allais me diriger vers ma salle de cours, le téléphone a sonné. En décrochant, je savais que c'était elle.

— Où es-tu?

— À Vancouver.

L'étonnement m'a coupé le souffle et je suis resté abasourdi, muet, l'espace de quelques secondes.

À l'autre bout du fil, elle a compris ce que pouvait être ce choc.

— Pardonne-moi. Mais c'était nécessaire, tu le sais. C'est moi qui te demande d'être courageux. D'être l'homme que tu es.

— Écris-moi, vite, tout de suite...

— Non.

— Je t'en supplie...

— Non Jean-Claude.

— Et moi?

— Pour toi aussi, non.

— Alors c'est définitif. Jamais nous ne...

— Oh! Je t'en prie, ne tombons pas dans un romantisme de guimauve. Pour rien au monde je ne veux entacher nos souvenirs...

— Monsieur... S'il vous plaît, monsieur... Votre tablette.

— Veuillez m'excuser mademoiselle.

Ma voisine, précipitamment, m'a devancé pour libérer l'hôtesse qui attendait, le plateau à bout de bras, et je décèle une charmante pointe d'ironie lorsqu'elle ajoute:

— Vous étiez dans les nuages, monsieur!

Je ris franchement et, le champagne aidant, la glace est rompue. Comme je me suis présenté, j'apprends qu'elle se rend à Paris pour choisir des modèles d'hiver dans le prêt à porter. À Montréal, elle est gérante d'un magasin extrêmement connu et spécialisé dans les vêtements pour enfants. Sa conversation est enjouée, plaisante, sans nulle coquetterie, et je me laisse aller à ce bien-être du moment présent. J'ai l'impression de refaire surface en portant plus d'attention à cette compagne que le hasard d'une traversée a placée à côté de moi. Est-elle jolie? Je ne sais plus, tant je me suis évadé de tous les critères habituels à partir desquels on juge au petit bonheur. Jolie ne veut rien dire. C'est un mot fade qui traîne avec lui un je ne sais quoi de péjoratif. Elle est belle. Mais d'une beauté vive et intelligente. Ses yeux surtout attirent et retiennent. C'est curieux... j'ai soudain l'impression d'avoir déjà croisé ce regard, d'avoir été frappé par ce visage. Mais où? En quelle circonstance? Je ne trouve pas.

— C'est peut-être banal de vous le dire... je suis sûr de vous avoir déjà rencontrée.

— Vous pensez?

Ironie certaine dans ce «vous pensez», me semble-t-il, mais atténuée par la douceur tendre et voluptueuse de ce regard où des rayons de clarté jouent comme sur un vitrail lumineux. Des vers que j'aime, lus récemment, s'imposent et viennent chanter dans ma mémoire :

L'eau bleue de tes yeux
Rendrait amoureux
N'importe quel dieu
Régnant sur l'Olympe...

Je le lui dis, et cette douceur, cette volupté passent sur moi comme une caresse fugitive. Dommage qu'entre cette caresse et mon coeur il y ait un tel vide à traverser, une zone aussi froide, où le déchirement d'un adieu a laissé ses marques, comme griffes de félin.

9

Cependant, je ne veux pas laisser tomber la conversation. Elle m'empêche de plonger à nouveau dans les brumes qui m'habitent. Je n'ai jamais eu le vin triste, et le champagne, surtout, m'inonde de pétillements.

— Vous donnez toujours des conférences, à la Société Littéraire et Musicale?

Devant mon air surpris, elle précise:

— Oui, je vous ai souvent entendu, quand les réunions se tenaient au Ritz-Carlton. Celà vous surprend qu'on vous connaisse?

— Oui et non. Mais je suis très honoré. Ce que je trouve à la fois merveilleux et insolite, c'est que des gens se déplacent pour aller entendre un monsieur leur parler d'un sujet que parfois ils connaissent déjà.

— Il y a la manière de raconter. Et vous avez le don de rendre vivants, présents, les personnages que vous aimez.

— Vous êtes trop bonne.

— Pas du tout. J'ai horreur des onctions mondaines, superficielles. Tenez! Je me souviens de votre causerie sur Hugo et l'amour. Vous m'aviez tellement passionnée, que le lendemain j'ai couru toutes les librairies de Montréal afin de ramasser tous les bouquins que vous aviez donnés en références.

J'ai dû m'imposer un effort pour qu'elle ne s'aperçoive pas de la crispation douloureuse que ses dernières paroles ont provoqué à l'intérieur de mon être. Fort heureusement, si je puis dire, un incident a détourné son attention. Comme on servait le café, l'enfant, sur ma droite, a renversé sa tasse et, en plus d'une désagréable sensation de brûlure, mon pantalon s'en est trouvé tout éclaboussé. Je me suis donc levé discrètement pour aller réparer les dommages, car les parents, de leurs sièges, n'avaient rien remarqué.

Vers la queue de l'avion, il y a le bar ouvert. J'ai encore demandé du champagne et je me suis tassé dans un fauteuil vide, contre le dernier hublot. Le bruit des moteurs vrille son insistante rumeur au creux de mon angoisse. Pourquoi cette femme a-t-elle évoqué ma conférence sur Hugo et l'amour? Elle aurait pu en citer une dizaine d'autres. Pourquoi justement, celle qui, dans une large part, a été à l'origine de tout ce qui est arrivé?

C'était il y a un an, ou presque. Mon directeur du département des Lettres, le professeur Jean Lelorain, m'ayant croisé dans un couloir, m'avait arrêté:

— Ça tombe bien. Pouvez-vous passer à mon bureau, dans la journée?

Je suis de ceux qui ne supportent pas d'attendre, pour savoir le motif d'une convocation. Deux heures plus tard, donc, j'étais dans le bureau de mon chef. Un chef qui est aussi un ami fidèle auquel je dois beaucoup. Il est direct, franc, humain. Autant de qualités que l'on ne trouve pas toujours dans un milieu où il faut savoir composer avant de prendre une décision.

— Alors... de quoi s'agit-il?

— Un service à vous demander. Masson nous quitte. Vous le saviez?

— Non.

— Il est détaché aux services culturels, et part en Afrique, dans une ambassade.

— On va le regretter dans le service.

— Plus que dans le service certainement! Mais enfin!

Bravo pour lui et tant pis pour nous. En plus de son travail ici, il donnait trois heures par semaine au Conservatoire d'Art dramatique. Ça, vous le saviez.

— Bien sûr. Il m'en parlait assez souvent. Son cours s'intitulait, je crois, «Commentaire et compréhension des grands textes littéraires».

— C'est exact. Donc, un choix très large, et c'est ce qui convient à des jeunes qui veulent se consacrer au théâtre. Aussi j'irai droit au but: accepteriez-vous de le remplacer?

D'emblée, j'avais accepté sans prendre la peine de m'informer davantage sur le genre d'étudiants que j'allais rencontrer, sur leur niveau général, sur les programmes. Ma passion pour tout ce qui touche à la scène ou à l'écran était passée par dessus ces mesquines contingences professorales. Et c'est ainsi qu'à la rentrée de septembre (Oui, un an déjà!), le directeur du Conservatoire, François Carzet, que j'avais eu l'occasion de rencontrer bien des fois dans des réunions officielles, me présentait à ses étudiants de première année:

— Mesdemoiselles, messieurs, je ne vous présenterai pas Monsieur Jean-Claude Mazerolles, vous l'avez tous entendu, soit dans ses conférences à la Société Littéraire et Musicale de Montréal, soit dans ses causeries à Radio-Canada. De plus, Monsieur Mazerolles qui occupe une chaire de littérature à l'université, a déjà publié plusieurs volumes de poèmes, deux romans, un essai sur les grands prosateurs canadiens-français, et une vingtaine de pièces radiophoniques. C'est dire qu'il n'est nullement dépaysé au Conservatoire, mais que bien au contraire, il comprend les buts et les motivations qui sont les vôtres.

Les jeunes avaient applaudi. Ce premier contact chaleureux établissait immédiatement une sympathie et une confiance réciproques, ce qui ne m'avait pas empêché de bien spécifier, lors de notre seconde rencontre, que j'étais un professeur exigeant et qu'au départ, je tenais à ce que chacun entre loyalement dans le jeu de l'étude.

— Car c'est un jeu. (Et j'avais appuyé sur le mot) Un jeu exaltant, toujours neuf, inattendu, riche. Les grands textes que nous aborderons, ne sont pas des pages d'imprimerie, mais des ailes encore palpitantes du souffle d'amour qui les a créées. Dans un poème de Musset ou de Nerval, vous sentirez battre et souffrir des coeurs d'homme et de femme qui, avant vous, avec une intensité folle ou désespérée, se sont accrochés à l'éphémère du bonheur et des jours.

Je ne crois pas trahir un seul mot, tant cette seconde classe reste gravée dans mon esprit. Étais-je, ce jour là, plus sincère ou plus inspiré? Comment le savoir! Une sorte de fascination me liait à ces visages attentifs et comme tendus vers mes paroles. Oui, cette heure reste l'une des plus extraordinaires de toute ma carrière. Communion d'un homme aux tempes d'argent mais au coeur encore jeune, avec le coeur unanime d'une classe qui se laisse aller à la musique d'un poème éternellement recréé dans l'espace et le temps. Car mon choix pour débuter, s'était porté sur les strophes célèbres de «Tristesse d'Olympio», et pour bien installer mes jeunes dans l'ambiance voulue, j'avais longuement évoqué l'émouvant visage de celle qui, tout au long de sa vie, avait adoré le poète: Juliette Drouet.

Je donne mes cours en deux parties. Entre elles, un repos d'un quart d'heure. Vers la fin, une période de discussion qui, en général, n'excède pas vingt minutes. C'est là qu'il est intéressant de juger, de comparer, d'approfondir la personnalité des auditeurs. Leur degré de culture également. L'attention et le goût qu'ils portent à la littérature, aux oeuvres, à la poésie. Intéressant aussi de voir s'ils ont bien assimilé, bien compris ce qui a été dit.

Le niveau est loin de plafonner. Pour certains, c'est à peine suffisant et je n'arrive pas à comprendre pourquoi Québec ne demande pas le DEC et une année d'université pour les entrées au Conservatoire. Je l'ai écrit dans un Mémoire: «Tous ceux qui aiment vraiment le théâtre et qui, surtout, respectent cette profession unique, seront d'accord pour convenir qu'elle doit être abordée avec un bagage sérieux. On n'a pas le droit de laisser des jeunes — enthousiastes certes, mais trop souvent inexpérimentés — se lancer à la légère dans la voie la plus difficile et la la plus exigeante de toutes. On n'a pas le droit, sous prétexte de laisser «faire du théâtre», de faire des ratés, avec toutes les désillusions et toutes les rancoeurs que cela entraîne.»

Ce Mémoire était confidentiel. Bien entendu, quelques jours plus tard, un journaliste «en avait obtenu copie»! Chez nous, ça aussi, c'est devenu une habitude. Les réactions ont été diverses, mais à ma grande surprise — et c'est là que l'on constate à quel point on connaît assez mal les jeunes — c'est chez eux, justement, chez ceux qui sont prêts à tout donner de leur temps, de leur énergie, de leur volonté pour servir le théâtre et promouvoir le nôtre, que j'ai trouvé la plus entière compréhension et les plus vives sympathies.

Au troisième cours, je peux dire que j'avais jaugé ma classe de première année. Il fallait d'abord créer une atmosphère, une unité. Leur inculquer une méthode de travail, mais avant tout, à mes yeux, les initier à la permanente beauté des grandes oeuvres littéraires. La difficulté, pour moi, venait du fait que tout était disparate: l'âge, le niveau de scolarité, les lectures. Et aussi, ce que François Carzet appelait «leur puissance de travail»!

14

Toutefois, je sentais un intérêt réel pour le programme proposé, et j'apportais dans mes explications et commentaires tout l'enthousiasme dont j'étais capable. Les garçons étaient en majorité. Je devinais les couples. J'en imaginais même, dans des rôles célèbres et je m'identifiais, moi aussi, par jeu, à certains personnages du répertoire classique. J'ai toujours rêvé de jouer le Néron de Britannicus, le Titus de Bérénice, et l'admirable Suréna, ce chant du cygne de Corneille:

Je n'ai plus que ce jour, que ce moment de vie:
Pardonnez à l'amour qui vous la sacrifie,
Et souffrez qu'un soupir exhale à vos genoux
Pour ma dernière joie, une âme toute à vous.

Pour ma dernière joie... Je ne cesse de la revivre, cette dernière joie. Elle est récente. Nous savions, l'un et l'autre, qu'il fallait y arriver, mais mon égoïsme me faisait sans cesse reculer devant l'adieu nécessaire. Je détruisais un coeur, une jeune vie, et j'en avais lâchement conscience. Je bouleversais notre existence, à Lydia et aux enfants, et chose plus grave, je perdais non plus une seule joie, mais toutes celles que j'avais su découvrir dans mon métier. Le désir tournait à la hantise. La hantise à l'obsession. Tout le reste devenait inutile, dérisoire. Je me répétais à moi-même, mille fois par jour, un nom qui, au début, me faisait sourire par son côté vieillot, lorsque je prenais les présences, en classe. L'avais-je seulement remarqué, cette Caroline, assez effacée d'ailleurs, ou du moins qui n'essayait pas de briller, comme certaines autres, gentiment évaporées, «jouant» déjà leur rôle d'étudiantes? Oui, mais uniquement sur le plan scolaire. Elle était l'une des plus âgées du groupe et surtout — le premier test me l'avait révélé — l'une des plus instruites. Elle était la seule à avoir lu le livre de

Beaulieu sur Victor Hugo, et celui d'Escholier, «Un amant de génie»; ce qui lui avait permis de prendre la part la plus active à la discussion qui avait suivi mes trois premiers cours.

J'avais été frappé par sa violente condamnation du poète.

— Vous avez dit qu'il a immortalisé Juliette Drouet. C'est vrai. Mais à quel prix!

— Il faut toujours payer le prix de l'immortalité.

— Vous ne trouvez pas que, dans ce cas précis, c'était payer un peu cher?

— Elle l'a voulu.

— Parce qu'il avait imposé ce vouloir.

C'était à la fin de l'horaire, je crois, quand, la classe achevée, les étudiants viennent se grouper autour du bureau et poursuivent le dialogue, plus librement et sans complexes. Personne n'avait l'idée d'intervenir, tant nous nous accrochions, elle à son point de vue de femme, moi à celui plus général du poète et de la poésie.

— Dans la vie d'un poète, le rôle de la femme est essentiel. Vous en convenez?

— Bien sûr. Comme dans toute vie d'ailleurs.

— Oui. Mais ce rôle, le plus souvent, conditionne l'oeuvre, l'anime — au sens étymologique du terme. Je vais vous choquer, mais tant pis! Qu'importe celui qui souffre, si l'oeuvre en sort plus grande, plus épurée, plus éternelle!

— Et le poids d'une larme d'amour... Qu'en faites-vous?

Thomas Boiron, un grand gars toujours en mouvement, sympathique au possible, aimé de tous, s'était esclaffé: «Mon doux! mais c'est un dialogue digne de Giraudoux!».

«Et toi tu parles en vers sans le vouloir», lui avait lancé Sophie, une adorable petite blonde toute pétillante de malice.

C'est un mois après cette passe d'armes exempte de toute animosité, que sa première lettre m'attendait sur mon bureau.

— Alors? On boude maintenant?

Sans me laisser le temps de répondre, ma belle voisine redevient ma voisine. Décidément, cet avion a tout prévu. Ces deux sièges inoccupés, les deux derniers, nous reviennent par droit de hasard.

— Vous n'êtes pas le seul à aimer le champagne! Mais moi, je n'aime pas le boire seule.

Elle lève son verre vers moi. Le même regard voluptueux et doux m'enveloppe, s'attarde contre mes yeux…

— Vous êtes tourmenté, vous! Soucis de travail, d'avenir, ou chagrin d'amour?

Il est des sourires qui ne savent qu'avouer la tristesse du coeur. Elle a dû le comprendre, car elle s'est détournée, a bu lentement dans l'or pétillant de sa coupe et, sans gêne aucune, me l'a tendue.

— À vous de connaître mes pensées.

— Car vous avez deviné les miennes?

Ce n'est pas difficile…

J'hésite avant de boire dans cette coupe offerte.

— Vous avez peur de boire dans ma coupe?

— Non, ce n'est pas ça… mais…

— Ne dites rien. N'expliquez rien. J'ai compris.

— Qu'avez-vous compris?

— Que toute une part de vous est restée à Montréal, ancrée à un souvenir, alors qu'une autre part tente de s'en libérer. Et ça tire sur votre coeur. Et ça fait mal. C'est bien ça?

— Oui et non. Oui pour tout ce que j'ai laissé. Pour tout ce que j'ai vécu et qui s'accroche à moi désespérément. Quant à m'en libérer, même si je le voulais ce n'est pas possible. On ne se libère jamais de certains souvenirs.

Un silence fait le tour de nos deux solitudes soudaines.

— Écoutez… moi j'ai trop bu. Vous pas assez. Alors on va faire un pacte. Moi je sais que vous êtes Jean-Claude Mazerolles. Moi je suis Maryse. Si vous le voulez, pour la durée de ce voyage, vous serez Jean-Claude et moi Maryse. Deux copains qui soignent au champagne le vague à l'âme de leurs souvenirs. D'accord? Et puis… j'ai l'impression qu'il est nécessaire que je sois là ce soir…

Mon sourire lui donne mon accord. Je voudrais ajouter quelque chose de gentil, de presque tendre… mais les mots restent figés au fond de moi. Elle a dit vrai. Pourront-ils un jour se désancrer, se libérer des souvenirs encore si proches, si vivants, qui les retiennent comme cheveux de sirènes? Les sortilèges d'un regard, la tentation troublante d'une bouche doivent garder leur pouvoir. Mais n'est-ce pas trop tôt pour moi? N'est-ce pas la raison pour laquelle, il y a un instant, j'ai ressenti cette

18

douleur, aiguë et vive comme une morsure, lorsqu'elle m'a tendu sa coupe?

— Voulez-vous regarder le film?

— Surtout pas.

— Elle était donc très jeune?

— Oui.

— Une de vos élèves?

— Oui.

— C'est classique.

— Non, pas forcément.

— Mais assez fréquent?

— Peut-être.

J'aime cette forme d'intelligence, chez un interlocuteur: rapide, concise, avare de mots. Maryse a fait tout de suite le lien. Non bien sûr, je ne regarderai pas ce film de Bertrand Blier, que nous avons vu, Caroline et moi, lors de sa première sortie à Montréal. Ce film très beau, admirablement joué, bouleversant par endroit, comme toujours quand il s'agit d'un amour désespéré...

Pour la projection, nous sommes plongés dans une demi obscurité. Seules, les lumières individuelles du plafonnier forment de petits îlots de clarté tamisée. Et ce continuel ronronnement régulier, rassurant, des quatre réacteurs agrippés aux ailes, contribue à créer cette atmosphère dont je parlais tout à l'heure: irréalité en suspens entre deux points de la terre; six heures hors de la durée, puisque vécues entre l'océan et le ciel.

— Parlez-moi d'elle...

— Elle s'appelle Caroline. Elle a vingt-trois ans. Je vais en avoir cinquante. Elle est libre. Je suis marié et j'ai deux enfants. Voilà...

— Commencez par le commencement.

— Tout est parti à cause d'une lettre.

C'était après le quart d'heure de repos qui partage mes trois heures de cours. Je venais de boire un café pour me réchauffer et m'éclaircir la voix. Car c'est fatigant de parler! Les gens ne s'en rendent pas compte et ne voient souvent dans le professeur que le chanceux qui dispose de «grandes vacances», au même titre que n'importe quel gamin. Mais ces mêmes gens pourraient se demander pourquoi, justement, on a toujours accordé les grandes vacances, indistinctement, aux élèves et à leurs maîtres. Et en des temps où le principe même de «vacances» n'était pas entré dans le courant des moeurs sociales. Il y avait donc une raison! La tension nerveuse y est pour quelque chose. Elle est mise à rude épreuve lorsqu'il faut tenir et intéresser et faire progresser une classe de 25 ou 30 bonshommes! Des bonshommes qui ne se gênent pas pour penser tout haut (à juste raison peut-être) qu'ils seraient tellement mieux, l'hiver sur des tapis de neige, l'été sous des frondaisons musicales — oiseaux ou transistor... Encore une fois, je ne peux m'empêcher de tomber dans l'ornière des digressions, alors que je m'en méfie chez les écrivains qui n'ont rien — ou trop à dire! Et que je mets continuellement en garde mes élèves contre ce danger qui, chez les jeunes, tourne à la confusion et au délayage. Mais j'ai besoin d'expliquer, d'exprimer, de traduire avec des mots, les plus justes possible, tout ce qui a entouré cette bouleversante aventure vécue.

20

Je ne l'ai pas remarquée tout de suite, cette enveloppe. Elle avait été glissée parmi les feuillets, mes notes, qui s'étalaient en désordre sur mon bureau. J'avais repris les explications d'une scène d'Andromaque. La scène IV de l'acte III. Première et dramatique rencontre de la prisonnière et de la jeune Hermione, fiancée du roi. J'essayais de bien faire comprendre à ces jeunes, dont certains auraient l'honneur, un jour, d'interpréter peut-être de tels rôles, l'importance d'un mot, d'une attitude, d'une simple virgule. Et ma passion m'avait emporté ce jour-là au point que j'avais demandé à deux de mes élèves de jouer vraiment cette scène. Dans ce domaine aussi, l'imprévu respire le charme. Il me fallait désigner deux jeunes filles. Pour Andromaque, reine déchue mais fière et aimée de son vainqueur, je n'avais pas hésité une seconde.

— Katia, vous serez Andromaque.

Et Katia, déjà reine dans son port et sa démarche, s'était avancée. Il émanait d'elle un rayonnement communicatif. Rien de hautain ou de maniéré. Une présence. Au concours d'entrée, elle avait étonné le jury par sa vibrante et sensible interprétation de l'Infante du Cid, et ses camarades étaient unanimes à reconnaître chez elle, plus que des dons: les premières éclosions d'un indéniable talent.

Je sus, plus tard, que son père l'avait aiguillée vers le Conservatoire après lui avoir donné les premières notions d'Art dramatique. Attaché aux services culturels du Gouvernement provincial, il avait été lui-même, autrefois un acteur très connu lorsque la radio était «la scène» par excellence, autant pour les gens de métier que pour les auditeurs.

Pour Hermione, le choix était plus difficile. Katia était brune. Il me fallait une blonde. Sophie s'avança, les yeux pleins de sourires.

— Crois-tu Sophie que c'est un rôle pour toi?

Sophie tourna d'un demi-tour sur ses talons, rejeta sa tête vers moi avec hauteur et, drapée dans une dignité sans doute offensée, elle me lança au visage ces mots admirables:

— Je composerai, monsieur!

Ce fut un rire général, et notre jeune Sophie salua comme si ce rire eût été une ovation finale.

— Un garçon pour m'aider à pousser le bureau dans l'angle.

Bien entendu, en se précipitant, Thomas fit tomber une partie de mes feuillets et c'est en les ramassant pêle-mêle que je vis l'enveloppe. Ne sachant d'où elle venait, je la mis discrètement dans ma poche tout en m'activant à un semblant de mise en scène.

— Surtout, ne manquez pas votre entrée, Katia, et songez bien que le premier mot doit clouer sur place Hermione qui sortait pour vous éviter.

Et ce fut une réussite... La discussion qui suivit bouscula l'horaire. Il fallait terminer.

— Une dernière question: Pourquoi Hermione commet-elle cette faute impardonnable, de renvoyer sa rivale devant le roi?

Les réponses les plus diverses s'entrecroisèrent pendant plusieurs minutes. À chacune, je répondais vaguement «c'est un peu ça».

— Mais la vraie raison de cette maladresse?

Et tout y passait, sauf la réponse que je voulais obtenir. Profitant d'un creux de silence, une voix, calmement, arriva du dernier rang.

— N'est-ce pas tout simplement parce que Hermione est très jeune? Et qu'elle n'a pas encore une connaissance suffisante des hommes et... et de leurs réactions?

— C'est exactement ça, Caroline. Bravo!

Ce jour là, nous fêtions les vingt ans de mon fils, et comme Lydia avait à préparer la réception du soir, j'avais à faire face à toute une liste de courses. Ce qui ne me permit pas de m'attarder davantage avec le petit groupe qui aurait bien voulu parler encore avec moi.

Il ne me déplaît pas de faire des courses, et s'il y a plusieurs façons d'acheter, il y a surtout plusieurs manières d'être marchand. Tout un domaine que les psychologues ne devraient pas dédaigner. J'exécutai donc le plus sérieusement du monde les ordres reçus, et je terminai par la pâtisserie belge, toute la famille connaissant la gourmandise légendaire de mon grand garçon.

Dans l'auto, je contrôlai ma liste: je n'avais oublié qu'une chose, mais d'importance, le café. Et ma femme avait bien spécifié: «Tu le prends chez le Van Houtte de la rue Laurier. N'oublie pas.» J'aime cette vaste boutique pour plusieurs raisons: la première, c'est que les vendeuses y sont fort aimables, et cela change de bien des endroits où «on se fait recevoir» avec des mines de porte de prison; la seconde, c'est qu'on y trouve de tout; la troisième, c'est que, depuis que la rue Laurier a été rénovée, le magasin Van Houtte est un peu «le dernier salon où l'on cause». On y croise, en effet, aussi bien le premier ministre que le chef de l'opposition, choisissant l'un et l'autre, très démocratiquement soit un camembert odorant, soit un pâté de campagne fabriqué au centre ville! On y voit «en chair et en os» des quantités d'artistes qui viennent, comme tout le monde, faire leurs emplettes, et si vous allez humer les effluves au rayon du café, on vous en offre aussitôt une tasse.

En entrant, tout de suite je les vis au comptoir. Elles me tournaient le dos, ce qui me permit d'arriver derrière elles et de dire doucement, presque à leur oreille: «On prépare un party?» Double surprise. Et moi:

— Ne sursautez pas. Et ne répondez pas à ma question si...

Katia ne me laissa pas achever.

— Oui, monsieur, c'est bien un party que nous préparons. Si vous voulez venir, vous êtes le bienvenu.

— Pourquoi pas? C'est pour quand?

— Pour ce soir.

— Ah! Je regrette, mais ce soir je ne suis pas libre. Une autre fois, avec plaisir.

Pendant ce bref échange de paroles, je sentais sur moi le regard de Caroline, comme interrogateur, insistant. Était-elle déçue de me voir refuser? Si bien qu'une sorte de gêne m'ayant gagné, je les quittai pour me rendre au comptoir du café, tandis qu'elles se dirigeaient vers la caisse.

En rentrant chez moi, je fus littéralement happé par une Lydia toute effervescente qui emporta mes achats à la cuisine, comme un Harpagon sa cassette.

— Tu pourrais m'embrasser!

— Pas le temps. Ce soir.

— Il y a vingt ans, tu ne disais pas ça!

— Il y a vingt ans, ce n'est pas toi qui souffrais!

— Il y a vingt ans, je souffrais autant que toi!

Cette réplique qui nous fit sourire l'un et l'autre, détendit l'atmosphère. Je suivis ma femme et, comme elle me tournait le dos je l'enserrai dans mes bras. Lydia est mince. Silhouette très féminine qu'à mon avis elle ne sait pas mettre en valeur. «Question d'éducation» m'avait-elle répondu, lorsque je lui en avais fait la remarque pour la première fois.

J'aime la brusquer un peu, et je me collais à elle, par jeu d'abord, mais très vite avec une sensualité dont je fus moi-même surpris. Cela nous est arrivé, bien sûr, comme à tous les couples, de faire l'amour n'importe où, n'importe quand et n'importe comment. Mais Lydia, même si j'ai su l'initier au plaisir, ne s'est jamais montrée très chaleureuse pour les fantaisies. Il lui faut la sécurité de l'ombre et du silence de notre chambre. Et encore! Combien de fois ne s'est-elle pas volontairement frustrée «de peur que les enfants...» Et c'est bien la raison qu'elle m'oppose.

— Hélène va rentrer...

— Il faudra bien qu'elle s'instruise cette petite!

— Tu es fou, Jean-Claude. Qu'est-ce qui te prend?

— Tu inverses les rôles chérie. C'est toi qui es prise...

Dans mes doigts impatients... sa robe froissée.

— Tu n'es pas raisonnable.

J'ai envie de lui dire que depuis le premier homme et la première femme, il n'y a de raisonnable que l'amour.

Sur le seuil de la salle de bains, Lydia m'a répété:

— Non, tu n'es pas raisonnable.

Elle a ajouté, faussement sévère:

— Dis-moi, toi... Ce sont tes nouvelles pépettes qui te stimulent autant, ces temps-ci?

Pour Lydia, toutes mes étudiantes sont des «pépettes». Elle a appris ce mot pendant notre dernier voyage à Paris, chez de grands amis français, les Lortal, que nous avons connus lors de mon premier stage à la faculté des Lettres de Rennes. C'est par eux, originaires de la région de Toulouse, que j'ai appris qu'il existait, un village du nom de Mazerolles. Exactement la même orthographe que notre nom de famille. Je souhaite pouvoir m'y rendre. Tout ce qui touche à nos origines me passionne et passionne également les quinze ans de ma fille Hélène.

La réflexion de Lydia m'avait fait réfléchir. Elle avait donc remarqué ce que je n'avais sans doute pas remarqué moi-même. J'aime l'amour, c'est vrai. Cela n'a rien d'original! J'ai eu, jusqu'ici, une nature plutôt... généreuse, et j'en remercie le ciel, si toutefois il y est pour quelque chose. Mais ce que j'aime surtout — pourquoi ne pas l'avouer — c'est la conquête. Chez moi c'est un besoin. Sentir qu'à l'approche de la cinquantaine je peux encore intéresser, retenir, émouvoir...

Maintes fois j'ai pu l'observer pendant mes cours. C'est vrai que je veux plaire. Non pas dans le sens donjuanesque; ce serait stupide. Mais plaire, oui, pour éveiller un sentiment, ouvrir des horizons, faire naître un sourire lorsque je parle d'une inspiratrice et des chefs-d'oeuvre que nous lui devons. Ce qui m'a valu, un jour, cette réflexion, en seconde année de licence, par une de mes étudiantes, remarquablement douée et qui venait des États-Unis : «Vous, monsieur Mazerolles, vous êtes toujours en train de flirter par personnes interposées.»

Avais-je fait l'amour, tout à l'heure, par personne interposée? Je ne serais pas éloigné de le croire car, lorsque Lydia, pour s'accorder à moi, a tourné la tête et m'a tendu ses lèvres, mon visage est resté caché dans ses cheveux. L'insistance d'un regard s'imposait à moi comme une présence insoupçonnée.

Les premiers invités sont arrivés tandis que, dans ma chambre, je me préparais. Retard causé par une course de dernière heure. Fort heureusement, Hélène jouait parfaitement les maîtresses de maison, et le héros du jour, René, que je voyais pour la première fois, ou presque, dans un véritable costume, n'avait jamais été aussi souriant, aussi à son aise — j'allais dire aussi «mondain», attitude qu'il n'apprécie guère. Quant à Lydia, elle allait de la cuisine à la salle à manger, dans une très élégante robe du soir et dans un affolement de bonne société.

En changeant de costume je sentis dans ma poche, l'enveloppe qui m'avait d'abord intrigué et que j'avais ensuite totalement oubliée. J'ai ouvert avec précipitation, en faisant souffrir la bordure. Assis sur le bord du lit, alors, j'ai lu:

«Cher professeur,

J'ai longtemps hésité avant de vous écrire, et je me demande encore, en commençant cette lettre, si je vous l'enverrai.

Voilà un peu plus d'un mois que vous venez au conservatoire et déjà vous nous avez profondément marqués par la forme de votre enseignement. Au tout début j'ai été réticente; vous l'aviez fort bien senti. Je n'aimais pas votre parti pris de tout excuser chez les littérateurs et surtout chez les poètes. L'amour n'est pas forcément un critère de sainteté ou de gloire. De plus, je n'aime pas me mêler à la troupe de ceux que j'appelle «les adorateurs», et qui se précipitent autour du bureau d'un professeur comme autour d'un autel pour quelque offrande réservée. (Je dois dire que ce n'est pas exactement le cas, car nous sommes tous d'accord pour reconnaître votre impartialité et votre équité.)

Cependant, j'aimerais, certains jours, aller plus loin, approfondir certains aspects du cours que vous avez donné; mieux, vous expliquer mes propres points de vue. Vous dire très calmement ce qui parfois m'éloigne de votre pensée, comme ce qui me fait vibrer à vos paroles, à cet enthousiasme juvénile (je dis bien juvénile) que vous avez gardé.

Je n'ose vous proposer une rencontre ailleurs que dans les murs de notre école, j'aurais peur que vous interprétiez mal ma demande. Et pourtant non! votre largeur d'esprit me met à l'abri, j'en suis sûre, des jugements superficiels. Alors à vous de laisser la porte ouverte à cette agréable perspective (pour moi!) et de me faire un signe si vous le désirez.

Ai-je besoin d'ajouter que vous pourrez toujours compter sur ma discrétion farouche? Bien sincèrement vôtre.   Caroline.»

Il y avait, en post-scriptum, ces simples mots: «Depuis longtemps je voulais vous dire que j'écrivais des poèmes.»

Je ne m'étais donc pas trompé sur cette étudiante. Sa lettre me le prouvait: forte personnalité, mais farouchement secrète, pour reprendre son terme. Sans doute pour protéger aussi une sensibilité excessive et par conséquent vulnérable. Mais les véritables motivations de cette missive? Je m'interrogeais encore, lorsque Lydia fit une irruption électrisée:

— Jean-Claude! Voyons! On n'attend que toi pour les cadeaux.

Son regard s'était porté sur la lettre de Caroline que je tenais encore dans ma main.

— Qu'est ce que c'est?

— Rien. Le mot d'excuse d'un étudiant.

— Fais vite.

— J'arrive.

Quelques minutes et j'étais prêt. Une pensée s'imposait à moi: pourquoi avais-je menti à Lydia? Ma réponse avait été presque automatique et je ne comprenais pas ce réflexe qui m'avait poussé à faire d'une étudiante, un étudiant. Cela me gênait... Quoi qu'il en soit, je rangeai l'enveloppe dans mes dossiers de cours avant de rejoindre la famille et les invités.

La fête organisée en l'honneur de mon fils se déroula dans une joie exubérante. Vingt ans! mots magiques. Sorte de graduation au seuil de la vie. Diplôme moral et physique qui doit ouvrir les routes de la réussite et du bonheur.

L'amour de nos vingt ans...

Les espoirs de nos vingts ans...

Et pour un homme de mon âge, le temps de ses vingt ans, auréolé de tout ce romantisme qu'à l'automne des jours on a besoin de protéger, afin de ne pas trahir tout à fait les rêves que l'on traîne encore dans les bagages du passé.

Nous avions offert à René une très belle montre suisse que m'avait procurée un ami bijoutier de La Prairie. Tous les parents et amis avaient généreusement souligné leur affection, mais Hélène avait tricoté elle-même, un chandail aux couleurs vives. Seulement voilà... elle avait estimé les mesures de son frère à la hauteur de son admiration et de son amour. René nageait littéralement dans ce monument de grosse laine sorti des mains de sa petite soeur, et il fallut toute la tendre diplomatie du groupe pour que le côté comique de l'incident ne tourne pas au drame. Il est vrai que parmi les copains de René, il y avait Gérard qui, depuis longtemps déjà, s'était fait le chevalier inconditionnellement servant de ma fille.

J'avais mis au frais quelques bouteilles de champagne. Il n'y a rien de tel que ce chef d'oeuvre des vins de France pour faire mousser l'esprit des hommes et aviver le charme des femmes. C'est alors qu'il n'y a jamais loin de la coupe aux lèvres, et la danse achève cette griserie passagère qui fait désirer, pour un soir, tous les tendres dangers d'une évasion permise.

Parmi nos invités quelques collègues, et la secrétaire du département des Lettres, Adrienne Leblanc, une Française de Bretagne, installée au Canada depuis une dizaine d'années. Entre elle et moi, rien de ce que l'on a coutume de penser. Une amitié amoureuse sans doute, dont nous nous étions jurés de ne pas dépasser les limites. «C'est tout ou rien avec moi, Jean-Claude», m'avait-elle spécifié lors de la seule fois où nous étions «sortis» ensemble.

Une seule fois! Et nous avions compris, elle comme moi, qu'en effet, c'eût été tout ou rien.

Mais quel merveilleux souvenir! En dansant, je lui rappelai le poème que m'avait inspiré cette unique soirée.

— Vous savez très bien, Jean-Claude, que je ne peux l'oublier.

— Dites-moi les premiers vers.

— Je t'imagine
sur ta lande bretonne...
Le vent vient de la mer et raconte
depuis des heures et des siècles
et la même aventure et les mêmes dangers
et les mêmes naufrages
aux limites des infinis...

Et moi j'avais enchaîné:

Mouvante et souple
ta silhouette traverse l'horizon
où la vague alanguie au flanc sage des plages
rêve enfin d'épouser le nuage et l'étoile...

— C'est très beau, et j'éprouve toujours la même émotion à les relire ou à les entendre.

Adrienne, l'espace d'une seconde, appuya sa joue contre mon visage comme pour me faire comprendre cette émotion. Je n'osai la serrer davantage contre moi. Je la savais presque fiancée, et puis... il y avait nos conventions.

Lydia avait éprouvé pour elle une jalousie de courte durée. Rien de bien méchant, car la liaison de ma secrétaire et d'un jeune architecte avait achevé de rassurer ma femme. Pour elle, l'important est de vivre dans une sécurité sentimentale et matérielle. Elle m'a toujours connu assez «papillon», comme elle aime dire et ne voit dans cela rien de particulièrement dangereux du moment que ses habitudes ne s'en trouvent pas perturbées.

Je me suis parfois demandé de quelle manière elle m'aimait. Car elle m'aime, bien sûr! même si notre mariage a été le fait d'un hasard provoqué. On dit que, très souvent, ce sont les plus solides. Tout est si étrange, si imprévisible dans le domaine des sentiments! J'aime Lydia, moi aussi, mais je ne m'interroge pas sur la façon dont je l'aime. Peut-être parce que, depuis longtemps, j'ai mis de côté toute forme d'interrogation. Et d'ailleurs, avions-nous le loisir, autrefois, de sonder toutes les nuances, toutes les subtilités de l'art d'aimer? Il fallait se marier, avoir tout de suite des enfants pour la plus grande gloire du Seigneur et de la Province. Le reste... tant mieux si l'accord se faisait.

Lydia, comme toutes les jeunes filles de son époque, avait reçu une éducation religieuse très stricte. Je ne suis pas ennemi des valeurs morales qu'on peut découvrir dans une spiritualité sincèrement vécue, mais il y a des limites. Par deux fois, mon influençable épouse s'est vue rôtir dans les flammes de l'enfer parce qu'on lui avait refusé l'absolution. La seconde fois, j'étais allé trouver le prêtre attardé qui avait jeté un tel trouble dans l'âme de ma femme, et lui avais dit carrément son fait. Car trop, c'est trop. Dans n'importe quel sens d'ailleurs, et notre «libération», elle-même, a parfois défoncé les limites du tolérable. L'important est de ne pas généraliser; ce serait injuste.

Au collège de l'Assomption, où j'ai fait toutes mes études, la rencontre de l'abbé Carbonel a été pour moi prépondérante. Nous l'appelions «Ti-Feu», tant était vif son esprit, rapide sa démarche, agissante et fraternelle sa foi. C'est lui qui nous avait mariés, Lydia et moi, et je me souviens que, la veille de la cérémonie, m'entraînant dans le parc pour une promenade, il m'avait, comme on dit, «sondé le coeur et les reins».

— Tu es bien sûr de toi, Jean-Claude?

— Oui René (il m'avait permis de l'appeler par son prénom). Je suis décidé à fonder un foyer.

— Ce n'est pas ce que je te demande. Le mariage n'est pas seulement un contrat devant notaire, tu le sais. Demain soir, à cette heure-ci, tu seras nu, dans un lit, avec une jeune fille nue comme toi et craintive et qui ne sait à peu près rien de l'amour charnel. Surtout ne la déçois pas. Tu me comprends?

— Oui, je vous comprends. Je serai très... délicat, très patient.

— Sois fidèle à ce que tu vas lui promettre demain, même si, quelquefois, cela te paraît dur ou vieux jeu.

Pendant près d'une heure nous avions causé dans une liberté totale. Pour avoir été, aussi, mon directeur de conscience, il savait à quoi s'en tenir sur ma nature

ardente et sensible. Je lui avais avoué les rares ex-
périences que j'avais connues avec des camarades
d'université, au cours de mes études supérieures. Le plus
souvent décevantes, surtout pour la partenaire dont le
plaisir restait paralysé par la crainte de se retrouver enceinte. Une seule fois, j'avais vraiment connu l'amour
dans une plénitude totale. Mais ça... je n'avais jamais osé
lui en parler.

C'était l'année de mon diplôme. Pour me
récompenser de ce succès, mon père m'avait offert un
voyage en France. Pour un jeune homme de vingt-deux
ans, quelle belle aventure! Le rêve si souvent caressé
d'aller enfin admirer sur place, dans toute la réalité de
leur environnement, les monuments si souvent et si
longuement regardés dans des livres de classe ou des
albums de photos. Mieux encore! J'avais la chance de ne
pas tomber en terre inconnue, mais de «débarquer» chez
la belle-soeur de mon oncle, tante Denise, secrétaire à
l'ambassade du Canada. Après la mort accidentelle de
son mari, elle avait demandé un poste à l'Étranger et elle
habitait Paris depuis trois ans déjà.

À la maison, nous l'aimions beaucoup, et dans les
réunions de famille, lorsqu'elle accompagnait mon oncle
et ma tante, nous étions sûr que sa présence était une
garantie de joie et de distraction. De quelques années
plus jeune que sa soeur, elle devait avoir à peine la
quarantaine lorsqu'elle devint veuve. Depuis, nous ne
l'avions revue qu'une seule fois, changée certes, moins
démonstrative, moins spontanée, mais en revanche, je
lui avais trouvé une silhouette toujours aussi jeune, un
visage et un regard toujours aussi expressifs. Je me souviens encore qu'au cours de la soirée que mon oncle et
ma tante avaient donnée pour lui faire rencontrer la
famille, Denise avait longuement parlé avec moi, me
questionnant sur mes études, sur mes projets, sur ma vie
privée, même! avec une curiosité souriante et complice.

Dès mon arrivée en France, elle m'avait «présenté» Paris! Je n'avais pas assez d'yeux pour tout voir, pour tout découvrir, et je me souviendrai toujours de l'émotion qui s'empara de moi lorsque, dans l'éclatante lumière d'un soleil de juin, la façade de Notre-Dame se dressa devant moi. Je restai cloué au sol. Sans un mot. J'avais l'impression bouleversante que, du fond des âges, mes ancêtres français m'accueillaient, fiers et dignes, dans ces statues de pierre, immuables et solennelles.

Et je m'empressai de rayer sur ma joue, une larme que je n'avais pu retenir. J'entends encore la voix pénétrante de Denise:

— N'aie jamais honte d'une larme lorsqu'elle est venue de ton coeur.

Ma tante — puisque je l'appelais ainsi — avait un petit appartement rue de Surène, à deux pas de l'église de la Madeleine, au dernier étage d'un immeuble cossu, voisin d'un théâtre où était affichée une pièce de Sacha Guitry. Des fenêtres, on avait sur les toits de Paris la vue classique que tant de films nous avaient révélée. Ayant l'habitude des grands espaces, je trouvais extraordinaire qu'on puisse vivre dans un appartement aussi minuscule. Mais c'était douillet, élégant, intime; et ce n'est que bien plus tard que j'ai été en mesure de comprendre combien il devait être agréable, reposant, de se retrouver dans un tel chez soi.

Je couchais dans l'entrée, sur un divan confortable mais étroit, tandis que Denise avait sa chambre tout à côté. Aujourd'hui, lorsque j'évoque les heures merveilleuses vécues chez elle et avec elle, je ne saurais dire exactement de quelle manière tout a commencé, tant ce fut naturel et simple. Je crois qu'il y eut, au départ, une amusante farce: j'avais caché, au fond du lit de ma tante, le petit hérisson en peluche qui avait sa place, avec d'autres bibelots, sur une étagère d'angle. Un hérisson peu dangereux et dont les piquants étaient fait de plastique laineux.

Ce soir là, nous étions allés voir un film sur les Champs-Élysées. J'adorais l'atmosphère de cette magnifique artère de Paris, jalonnée de lumières, avec, comme toile de fond, la masse puissante et harmonieuse de l'arc de gloire, découpé sous les projecteurs comme un décor wagnérien.

J'étais heureux. J'en éprouvais la grisante perception. Je me sentais enfin! un homme libre et jeune. Riche de santé et d'avenir. Quand je levais les yeux vers l'écrin infini des étoiles, j'étais envahi d'un sentiment de gratitude pour le Dieu de mon enfance et la bonté de mes parents.

Avant de rentrer, j'avais tenu absolument à offrir à ma tante une coupe de champagne, à la terrasse d'une grande brasserie. Nous éprouvions, l'un et l'autre, cette même impression de joie de vivre, et comme je faisais allusion à sa solitude, elle me confia que depuis un peu plus d'un an, elle avait un ami en poste à Bruxelles.

— Et je t'empêche peut-être d'aller le voir ou de le laisser venir?

— Pas du tout. Nous nous voyons assez régulièrement, mais je suis tellement heureuse que tu sois ici! Surtout si tu aimes ton séjour.

Nous avions pris une seconde coupe et mangé une pâtisserie. Il faisait doux. Cet air de Paris que vantent tant de chansons, était donc une réalité! Et c'est vrai qu'on se sentait comme possédé d'un trouble étrange et délicieux. Désir d'aimer et de saisir l'instant présent, dans toute son intensité éphémère.

Pour revenir rue de Surène, Denise avait pris mon bras. Elle portait une jupe blanche plissée et un léger chemisier de soie. On ne lui aurait pas donné plus de trente ans et, comme nous ne cessions de rire et de plaisanter, des jeunes qui nous croisèrent firent une réflexion dans le genre de «alors les amoureux!» et, «c'est bon l'amour!» ou «la vie est belle!», je ne me souviens plus, mais nous nous étions regardés, Denise et moi, avec un étonnement soudain.

Dans son appartement-bijou, nous avions encore l'envie de nous amuser, mais comme il était très tard, après une rapide douche je m'étendis sur mon divan. Ce que j'attendais ne tarda pas: un cri de surprise apeurée, et ma jolie tante bondissait vers moi tenant à la main, le petit hérisson en peluche que j'avais glissé dans le fond de son lit. Avec un coussin, Denise me tapait dessus, me traitant de «petite crapule», et cette fausse colère la rendait encore plus jeune dans sa fine et transparente robe de nuit.

Bien entendu, je me laissai faire jusqu'au moment où, lui attrapant son arme de salon, elle perdit l'équilibre et tomba sur moi. L'émerveillement fut immédiat. Aux rires, à tout ce chahut de collégiens, fit place un silence immobile et envoûtant. Pas une parole. Pas un geste. Tous deux, une attitude semblable. Je n'avais même pas refermé mes bras sur son corps, mais il pesait sur moi doux et chaud et palpitant. Nous nous regardions, sérieux, attentifs, craintifs peut-être au seuil de ce que nous sentions arriver et que nous ne prenions plus à la légère.

Dans le mouvement qu'elle fit pour laisser aller sa tête près de moi, son visage frôla mes lèvres et ce fut vraiment le premier baiser d'amour qui me fit fermer les yeux...

— Tu ne penses pas qu'on serait mieux dans ma chambre?

Nous y étions encore lorsque le soleil, depuis longtemps déjà, inondait la ville autour de nous. Mais entre l'ombre de la nuit et cette matinée nouvelle, il y avait eu pour moi des heures inoubliables qui marquaient ma vie à jamais. Cette nuit-là, j'avais appris l'amour dans toute son enivrante passion bien sûr, mais avec une sorte d'enchantement respectueux et admiratif. Ces mots peuvent paraître ridicules; ils gardent encore, au plus profond de mon être, un sens éternel. Oui, j'avais appris tout ce qu'un homme doit connaître des caresses à donner et à attendre. Éblouissante révélation dans les bras d'une femme de vingt ans mon aînée et qui venait de m'initier, avec une tendresse infinie, à toutes les incantations où l'âme et le corps peuvent enfin s'épouser.

Au micro, la voix d'une hôtesse vient de nous ramener à la réalité.

— Mesdames, Messieurs, nous traversons une zone de turbulences. Veuillez regagner vos places et attacher votre ceinture. Ce sera de courte durée. Merci.

Maryse me regarde avec un air quelque peu mélancolique.

— Vous savez que c'est très beau ce que vous venez de me raconter! Cette aventure de vos vingt ans. Je me trompe peut-être, mais je pense que toutes les femmes... vraiment femmes, ont rêvé de vivre une fois, ce rôle merveilleux d'initiatrice.

— Je le crois.

— Et qu'est devenue... Denise?

— Elle s'est suicidée. Trois ans plus tard. Oui... Son ami attendait sa nomination dans une grande ambassade et lui avait promis qu'à ce moment là, il l'épouserait. La nomination a eu lieu. Le monsieur est parti... avec une autre. C'était l'année de mon mariage.

— Vous y pensez encore?

— Oui. Surtout après ce que je viens de vivre moi-même.

— Pourquoi?

— Parce que j'y vois une sorte de revanche du destin.

— Pour l'instant, revenez à la lettre de votre étudiante. Avez-vous répondu?

Non, je n'avais pas répondu à cette première lettre de Caroline. Et lorsque je la revis la semaine suivante, je ne parlai de rien. J'étais satisfait de ma classe. Je les sentais devenir groupe, dans une adhésion sympathique, une connivence même, entre nous tous, qui me permettait de sortir des limites strictement définies par le programme. Je parlais des grands interprètes qui avaient donné vie aux textes étudiés et je préparais toujours une ou deux anecdotes typiques, choisies dans la petite histoire de la littérature ou du théâtre. Cette méthode n'est guère prisée, paraît-il, des sommités qui préparent les programmes, mais dans tout sanctuaire il faut quelques sourires, ou alors ce n'est plus de la découverte, c'est de l'exhumation!

J'avais donné comme lecture obligatoire «La Symphonie Pastorale» de Gide, et j'avais demandé lequel d'entre eux connaissait le sujet de ce livre. Un garçon avait vu le film à la cinémathèque du Québec et se souvenait de l'émouvant visage de Michèle Morgan. Quant au thème... il n'avait vu là qu'une histoire d'amour «compliquée», avait-il souligné, parce que «la fille hésitait entre le père et le fils»! Ce qui lui avait valu cette amusante réflexion de notre Sophie nationale, comme nous l'appelions tous très gentiment: «Et toi tu aurais bien voulu jouer les Saint-Esprit!»

Après une avalanche de rires, la voix de Caroline s'était posément élevée:

— C'est une banale histoire de détournement de mineure.

— Vous dites des bêtises, Mlle Tremblay.

Plus fort que moi! Ces paroles m'avaient échappé comme des projectiles, pour les regretter aussitôt. Un silence étonné avait suivi, et je m'en voulais déjà pour cet incontrôlable mouvement d'humeur. J'avais essayé de me rattraper et promis une explication «en profondeur» lorsque tout le monde aurait achevé la lecture.

Fort heureusement la classe se terminait, et en partant Caroline me salua sans l'ombre d'une rancoeur quelconque.

Katia, seule me fit une réflexion assez ambiguë:

— Je suis sûre que vous avez fait de la peine à Caroline.

J'étais sur le point de lui répondre qu'un professeur a encore le droit de dire ce qu'il pense, mais quelque chose m'en avait empêché. Je quittai le Conservatoire le coeur ombré d'une amertume insupportable, et la simple petite phrase de Katia me tourmenta pendant toute la semaine.

Plusieurs fois je fus sur le point de prendre le téléphone et d'appeler Caroline pour lui demander de bien vouloir excuser la sécheresse de ma réplique. Ce n'est ni un réflexe de dignité professorale, ni un sentiment d'orgueil froissé qui m'en empêchèrent. Mais une stupide pudeur qui ajoutait à mon énervement. Les mots de

Katia me gênaient encore: «Vous avez fait de la peine à Caroline», et je m'en voulais de ces remises en place trop vives dont j'ai toujours eu à me méfier.

J'avais hâte, maintenant, d'être au lundi suivant. Il me serait facile de dire quelques mots à la jeune fille, ce qui, du même coup, apaiserait mes regrets. Et puis, cette manie que j'ai, de grossir le moindre incident et de lui donner une résonnance qui se répercute en moi comme des ondes. J'avais relu sa lettre. Il est indéniable que la personnalité de cette fille m'avait frappé: estime pour sa forme de pensée si semblable à la mienne; secrète attirance pour ce charme discret qui émanait de tous ses gestes, de sa seule présence. Son regard m'avait retenu longtemps... J'ai toujours été très sensible à ce que disent les yeux. Dommage que ce soit intraduisible. Que de merveilleux poèmes auxquels les mots ne pourront jamais toucher!

Et puis je me tançais de sensiblerie sénile! «Tu vieillis mon vieux! Dans quelques années tu es bon pour le psychiatre!» Depuis que je fais ce métier, j'ai rencontré des garçons et des filles de tout calibre et de toute provenance. Et je suis vacciné aussi bien contre les timides qui veulent jouer les méchants, que contre le genre «vierges impatientes» où l'exhibitionnisme est une manière de provocation gratuite. Je comprenais donc d'autant moins, que rien d'équivoque n'avait influencé nos rapports.

Le lundi, mon cours était inscrit de dix heures à treize heures. Ce qui donnait, (et cela a son importance): première partie, dix heures — onze heures quinze; coupure, onze heures quinze — onze heures trente cinq; seconde partie, onze heures trente-cinq — douze heures trente; discussion, douze heures trente — treize heures. J'avais habitué mes élèves à ce découpage régulier de façon à éviter la fatigue ou l'ennui.

40

J'arrivais toujours largement en avance. J'ai besoin de me détendre avant une période de trois heures. Cela me permettait également d'aller bavarder quelques minutes dans le bureau de mon ami François. J'aime évoquer avec lui, sa carrière théâtrale. Aujourd'hui encore, malgré toutes ses responsabilités, on peut le voir dans quelques grandes réalisations télévisées. Sur scène, il a été l'interprète des plus grands noms et des plus grands rôles. Pour lui, ce poste à la tête du Conservatoire est une mission difficile mais exaltante. Nos vues sont identiques sur les exigences à imposer si l'on veut véritablement un théâtre, comme il dit lui-même, «qui soit sorti du bois» et qui, sans rien renier de son milieu, de ses sources, de ses aspirations, puisse tout de même s'imposer de façon aussi valable que n'importe lequel sur le plan de la francophonie internationale.

Ce jour-là, il m'avait offert une tasse de café et j'avais dû m'attarder plus que d'habitude car, en entrant dans ma classe, où j'avais laissé mes papiers et quelques livres, il y avait déjà plus de la moitié des élèves. Il était moins trois ou moins quatre, Caroline n'était pas encore là... Je profitai de ces instants pour mettre mes notes dans l'ordre voulu, et j'ouvris la *Symphonie Pastorale* dont l'allais parler. La seconde lettre m'y attendait, entre la couverture et la première page. C'est alors qu'elle entra, s'approcha pour me dire bonjour, et, très vite afin de ne pas être entendue:

— Jetez-la tout de suite si vous ne voulez pas me répondre.

L'idée de déchirer cette enveloppe, là, tout de suite, sous ses yeux, me traversa l'esprit. Personne n'y prêterait attention, et l'incident serait clos. Mais Katia venait d'entrer, me souriait, et ses paroles du lundi précédent s'imposèrent brusquement: «Vous avez fait de la peine à Caroline».

Je ne touchai pas à la lettre. J'attendrais la fin de la première période pour aller tranquillement la lire. Que disait-elle cette fois? De toute façon, la lire, c'était la garder. La garder, c'était répondre. Je me sentais engagé, non dans une aventure, mais pris dans un enchaînement de faits, de situations qu'il me faudrait dominer ou subir.

Mon cours se déroula très normalement. J'avais préparé une biographie complète d'André Gide et je voulais leur faire bien comprendre le rôle, plus ou moins discutable, qu'il avait joué dans la pensée de son temps. En deuxième partie, il me restait à situer le contexte dans lequel la *Symphonie Pastorale* avait été écrite.

Le temps de repos arrivé, je pris le livre et m'apprêtais à sortir lorsque Sophie s'approcha de mon bureau.

— Monsieur Mazerolles, nous donnons une petite fête, chez moi, jeudi soir, pour les dix-sept ans de Thierry. Nous aimerions que vous soyez avec nous.

Pendant qu'elle me parlait, Katia, Thomas, Danielle et deux ou trois autres entourèrent Sophie pour faire chorus:

— Vous venez Monsieur! C'est sûr. Vous ne pouvez pas dire non! Alors dites oui...

— Eh bien... oui, Je dis oui!

Sophie me donna alors tous les détails. On n'avait rien dit à Thierry. Surprise complète. Donc, ne pas en parler. Mais retenir le jour, l'heure, l'adresse surtout. Je notai. Je promis. Et je m'éclipsai pour les cinq minutes qui me restaient encore.

Décidément, quand une chose ne doit pas se faire... François Carzet venait à ma rencontre.

— Dites-moi Jean-Claude, que pensez-vous de Thierry?

— Thierry Delisle?

— Oui. Son oncle vient de me téléphoner pour faire le point. D'abord, situation délicate: le père a quitté la maison depuis un an. Séparation... Divorce... Le gamin a été profondément perturbé. Il a quitté ses études, s'est littéralement cloîtré chez lui. Il a fallu toute la patience et l'affection de cet oncle pour le décider à sortir de sa torpeur. J'abrège: Thierry a dit d'accord, mais une seule voie, le Conservatoire.

— Que fait sa mère?

— Elle a de quoi vivre. L'ex-mari paye une confortable pension. Je voudrais avoir votre avis sur le plan... travail en général, niveau culturel. Du point de vue théâtre, le garçon est naturellement doué.

— Il est très bien. A beaucoup lu, ce qui de nos jours est un critère. Il saisit vite; l'acuité de son jugement m'a surpris. Mais il doit être d'une sensibilité presque maladive. Il y a des indices qui ne trompent pas.

— C'est probable. Ce qui rassure un peu sa mère, c'est qu'il est ici avec une de ses cousines qui, elle, a longtemps attendu pour venir chez nous, puisque vous l'avez en première année. Il s'agit de Caroline Tremblay.

Pendant que mon sympathique directeur ajoutait quelques détails, moi je songeais à l'étrangeté des coïncidences. À ces liens qui se tissent, se tendent, se fondent dans le labyrinthe de nos vies. Donc, jeudi prochain, Caroline serait certainement présente à la fête de son cousin. Et le désir de lire cette lettre me hanta jusqu'à mon départ.

Je n'aime lire une lettre que dans la tranquillité. C'est pourquoi, en rentrant chez moi, je fis un léger détour pour m'arrêter dans l'une des allées du parc Mont-calm. Des enfants jouaient sur les balançoires et les glissoires. Un vieux monsieur à chapeau melon — ce couvre-chef insolite avait attiré mon regard — émiettait du pain à une escadrille froufroutante de pigeons. À quatre pattes dans le sable, un petit gars s'énervait contre un camion de bois qui se refusait d'avancer. Ce n'était plus un jardin de grande ville, mais un tableau bucolique encore accroché au portique d'un temps révolu.

J'ouvris l'enveloppe avec précaution. C'était le même papier bleu pâle. La même écriture soignée, élégante, régulière. Et je lus:

«Mon cher professeur,

Vous n'avez pas répondu... je n'ai rien à dire, ni rien à penser. C'était votre droit. C'est sans doute votre devoir: vous êtes le maître, je ne suis que l'élève.

Tout ceci est sans trop d'importance. Ce qui compte c'est que vous soyez notre professeur. C'est que vous ayez choisi notre programme. C'est que vous nous fassiez découvrir, avec cette ardeur (je n'ose dire cette passion) qui vous anime, les richesses d'une langue et d'une littérature.

Je me permettais de vous écrire, dans ma première lettre, que je n'étais pas toujours en accord avec vos déductions, et j'ai craint que vous n'y ayez vu une sorte de prétentieuse assurance de soi. Ce n'est pas cela. C'est le désir que j'avais — que j'ai toujours — de pouvoir approfondir avec vous des aspects particuliers comme par exemple, l'ambiguïté de l'amour de Gertrude, dans le livre de Gide.

Et puis, j'ai réfléchi: si tous vos élèves manifestaient une telle exigence, quand seriez-vous libéré de vos classes? Ces lignes, je les écris simplement pour bien vous préciser que je comprends votre position et que je ne vous en garde pas rigueur. (Pas plus d'ailleurs que pour la réplique que vous m'avez renvoyée comme une balle de tennis... bien frappée!)

Je reste donc votre élève très sincèrement amicale.

Caroline

P.S. Je lis en ce moment votre dernier volume de poèmes. Mon Dieu! que vous avez de la chance de pouvoir dire votre coeur aussi intensément, aussi poétiquement, aussi douloureusement parfois... J'admire aussi le poète.»

Lydia m'attendait comme chaque lundi. C'est désormais une habitude. Sachant que j'ai ce cours au Conservatoire, elle recule d'une heure environ, le repas de midi. Hélène, par exception était déjà à table. À mon arrivée elle se leva et vint m'embrasser.

— Qu'est-ce que tu fais là, toi?

— Jacques est absent. Alors cet après-midi... pas de cours!

— Qui est-ce Jacques?

— Le prof de français.

— Et vous l'appelez Jacques?

— Bien sûr puisque c'est son nom!

— C'est son prénom je suppose.

— Oui. Et alors?

— Alors?... Je ne sais pas moi. Tu vois mes élèves m'appelant Jean-Claude?

— Pourquoi pas?

— Eh bien, non! Je suis fossile, rétro, tout ce que tu voudras, mais je n'accepte pas qu'on m'appelle par mon prénom, et mieux encore qu'on me tutoie. Et pourtant, tu le sais, j'aime mes élèves et je suis toujours prêt à leur rendre service, à les aider, même quand ils m'ont quitté.

— Mais toi tu es...

Elle s'était interrompue tout d'un coup, en levant la tête, et je croisai son regard qu'elle détourna très vite.

— Ce n'est rien ma chérie. Tu allais dire «Toi tu es vieux». C'est bien ça?

Je me mis alors à plaisanter sur mon âge, sur la séduction supposée des hommes aux tempes argentées, sur le fait que les jeunes de mon temps savaient danser...

Hélène, qui avait retrouvé son sourire et sa verve, m'interrompit.

— Nous aussi on sait danser!

— Tu ne vas pas appeler danse cette espèce de zigzaguement collectif et hystérique qui exige une tenue débraillée, des lumières hallucinatoires et un bruit à crever les tympans d'un troupeau d'hippopotames!

— C'est un défoulement!

— Écoute ma petite fille. Si vous avez besoin de vous défouler dans le vacarme et dans un décor, je le répète, d'hallucination, c'est le contraire du défoulement. C'est un rituel d'impuissants.

— Tu exagères papa!

— Pas du tout. Regarde tous ceux qui achètent des journaux ou des revues pornos, c'est pour s'exciter visuellement. Eh bien! Quand on en est réduit à cette sorte de «stimulus», on est bon pour la retraite!

Hélène se mit à rire. Ma fille est soupe au lait, exubérante, excessive, mais franche et généreuse. Je crois qu'elle est fière de moi, et autant les jugements ou commentaires parus sur ma personne et mes écrits ne m'ont jamais traumatisés, autant les appréciations de ma fille me touchent et me font réfléchir.

À table, au cours de la conversation, je ne sais comment j'en suis venu à dire que j'étais invité dans quelques jours, le jeudi soir, à une soirée d'anniversaire. Ma femme a tout de suite réagi :

— Ce jeudi?

— Oui, ce jeudi. Pourquoi?

— C'est la soirée des petits chanteurs.

— Oh oui, papa! Tu viendras, dis?

— Je vous demande pardon, mais j'ai complètement oublié que tu chantais jeudi, et j'ai promis ferme.

Devant l'air navré de ma fille, je faillis dire que j'allais tout simplement annuler l'invitation faite le matin même; mais j'hésitais. Sans le vouloir, ma femme me tendit la perche :

— Téléphone à ton bureau et dis à Mlle Leblanc d'envoyer un de tes assistants.

— Ce n'est pas possible. Je suis invité pour la première fois par mes nouveaux élèves du Conservatoire, et maintenant qu'ils comptent sur moi...

L'arrivée de Gérard, venu chercher Hélène, dissipa cette contrariété, et je pris le café avec Lydia sans reparler de ce regrettable contretemps.

Sophie habitait chez sa mère, une femme charmante et très artiste, qui s'était fait une place enviable parmi les peintres contemporains. Son dernier vernissage avait fait

47

l'unanimité de la critique et des visiteurs. J'avais eu l'occasion de la rencontrer lors d'une réception à l'Hôtel de Ville où notre maire, Monsieur Drapeau, accueillait l'exposition des dernières oeuvres de Lurçat, et je me souviens encore de notre discussion passionnée sur Fortin, Gagnon, Vincent, Hamel, Ayotte, Lemieux, Beck et tant d'autres dont nous avons le droit d'être fiers.

Leur appartement, disposé sur deux paliers, tenait à la fois du boudoir intime et de l'atelier bohème. Il régnait là une atmosphère chaleureuse, détendue, libre, où chacun se sentait chez soi, mais un chez soi transposé dans un coin d'imaginaire et d'improvisé. Dépaysement inattendu où la gaîté retrouvée invente à son gré toute la poétique du rêve.

Nous étions bien une trentaine à aller et venir, à piocher dans les assiettes disposées sur une longue table, dans «l'atelier», à danser au rez-de-chaussée, à bavarder dans les escaliers tournants qui relient les deux pièces, tandis que la maîtresse de maison passait parmi nous, une bouteille à la main. On avait fêté Thierry tout au début et, sachant son amour des livres, sa mère et ses camarades s'étaient cotisés pour lui offrir, en trois volumes reliés, les oeuvres de Molière.

Sophie, dans une robe longue qui la grandissait et qui mettait discrètement ses charmes en valeur devenait vraiment la jeune fille telle qu'on la rêve toujours. C'est elle qui avait voulu une soirée «habillée», et elle avait eu raison. Je ne comprends pas toujours chez les jeunes ce parti pris de laisser-aller vestimentaire. S'ils savaient — si elles savaient surtout — combien leur sied un beau costume, une jolie robe! Le bon goût n'a jamais été guindé, et l'élégance naturelle, l'aisance et la classe existent encore de nos jours dans tous les milieux.

Katia était resplendissante. Sa robe noire à parements orange esquissait parfaitement un corps parfait...

Limites tracées par les immortels modèles de Praxitèle ou de Botticelli. C'est ce soir-là que j'eus la révélation de sa véritable nature.

Tout de suite, j'avais été happé par mes «conservatoire» comme je disais, et ce n'est qu'après avoir vidé un verre avec eux, à la santé de Thierry et à la gloire de leurs succès futurs, qu'il me fut possible de m'isoler un peu avec Caroline. Elle portait une robe très simple en fin lainage beige et, comme je lui en faisais compliment, elle m'apprit qu'elle avait copié un modèle de grande maison.

— Vous faites vos robes vous-même?

— Il le faut.

Je n'osai aller plus avant et ce n'est que plus tard que je vis par moi-même comment elle arrivait à concilier ses études avec, pour y parvenir, un travail de traduction et de correction dans une des grandes banques de Montréal.

Nous nous étions réfugiés dans un coin relativement tranquille du «boudoir». La musique, bien trop forte à mon gré, ne permettait pas une véritable conversation. Nos réflexions n'en étaient que plus pertinentes ou plus fantaisistes selon le cas. J'ai oublié ces propos, mais je me souviens encore de son rire lorsque je lui racontai qu'à la parution de mon premier livre de vers, alors que j'étais jeune professeur dans un collège religieux, la directrice m'avait appelé pour me dire que, à son grand regret, on ne pouvait laisser entre les mains de pures couventines le volume que j'avais si généreusement offert à la bibliothèque! En revanche, cette charmante soeur — car elle était charmante — l'avait sorti, ce volume, des plis secrets de sa robe, pour me le faire dédicacer avant de l'emporter, à l'abri... dans sa chambre!

Nous étions assis, Caroline et moi, côte à côte, à même le tapis, sur deux coussins très confortables mais coincés dans un angle pour gagner de la place. Quand je me tournais vers elle, le frôlement de ses cheveux me troublait délicieusement. J'avais le désir de danser avec elle et, lorsque la musique se fit plus lente, plus harmonieuse, je dis simplement:

— Je pense que ça, je saurai le danser.

J'avais à peine prononcé le dernier mot que d'un même accord nous étions debout l'un en face de l'autre. J'eus alors l'impression qu'aussi bien chez elle que chez moi, l'espace de quelques secondes il y eut une hésitation, comme celà arrive avant de franchir un seuil inconnu.

Et puis elle fut dans mes bras... À partir de cette minute, je l'ai su depuis, elle fut dans mon coeur, dans mon esprit, dans ma vie. Aujourd'hui encore je n'arrive pas à tout expliquer ni à comprendre la violence de cet élan. Ce n'était pas la première fois qu'une aventure m'arrivait. Je dois avouer que, très vite, après mon mariage, les complexités de ma véritable nature avaient dominé une volonté habituellement vacillante devant l'amour. À dire «les complexités», j'éprouve un sentiment d'hypocrisie car, au fond, elles sont très simples ces complexités! et se limitent à l'émoi naturel du coeur et des sens devant la femme... «cette plaie vive de la femme» comme disait Hugo. Mais ce n'était pas sans réticences, sans tourment, sans ces ombres de culpabilité qui rampaient au fond de ma conscience et qui s'imposaient soudain sur les sommets du plaisir comme pour m'en ternir les éblouissements.

Lydia, j'en suis persuadé, lorsqu'elle se doutait de quelque chose, n'y attachait pas une importance réelle. Une seule fois, ayant eu vent d'une aventure un peu moins discrète, elle m'avait simplement prévenu:

— Je sais que les hommes comme toi ont besoin d'une certaine liberté, mais je n'accepterai jamais une liaison sérieuse.

J'avais répondu sur le ton de la plaisanterie :

— Je suis bien trop «papillon» comme tu le dis toi-même.

Dans ma carrière universitaire j'avais suscité, chez des étudiantes, cette classique admiration que l'on porte à celui qui enseigne, à celui qui ouvre l'âme et l'esprit à des connaissances plus vastes, à des réflexions plus élargies, et je dirai qu'il est presque normal que se produise alors une sorte d'ambivalence entre les limites indécelables de l'admiration et de l'amour. Le plus touchant de ces exemples remontait à une dizaine d'années et ramenait alors à mes yeux le visage romantique d'une jeune américaine du New Jersey, Sallie, qui suivait les cours de l'école d'été. Une sympathie immédiate nous avait rapproché et je lui avais promis de l'aider le plus possible. La particularité de ce cours accéléré — 15 juin/8 août — voulait que les professeurs ne quittent pas le pavillon de cette école d'été. Nous y avions notre chambre tout comme les étudiants, et il n'était pas rare qu'à minuit ou une heure du matin, un garçon affolé vienne frapper à la porte pour se faire expliquer un poème de Baudelaire ou un texte de Camus.

Un soir, où j'avais fait longuement travailler Sallie, je lui proposai de rester «casser une croûte» et j'improvisai un semblant de souper à coups de boîtes de conserves. J'avais toujours en réserve du fromage, des petits gâteaux et, bien entendu, une bouteille de vin.

Par la fenêtre ouverte on voyait, dans le parc, les derniers couche-tard, tandis que la nuit achevait de s'étendre sur l'horizon scintillant de la ville. Un air étouffé de jazz se perdait dans les arbres. Il était doux de vivre, dans ce cadre, sous ce ciel, à cette heure-là. Nous étions très décontractés. Je me sentais jeune encore, et comme je venais de révéler mon âge à la jeune fille, elle m'avait dit, avec toute la douceur de son accent chantant: «Alors vous venez de naître!». Puis, s'approchant tout près de moi elle avait ajouté avec sérieux:

— Je t'embrasse et je te souhaite beaucoup de bonheur dans ta vie qui commence.

Et sur mes lèvres, les lèvres brûlantes de Sallie firent chavirer toutes les résolutions que je m'étais dictées. Avant de serrer contre moi ce jeune corps ardent et offert, je tirai le lourd rideau qui nous isolait de tout regard indiscret. Cette nuit de l'été 197- reste comme un éclair magique au ciel de mes souvenirs.

Dans mes bras, accordée à mon rythme, Caroline dansait dans un abandon heureux qui mettait sur ses lèvres le secret d'un sourire. Par instant, je laissais mon visage s'appuyer contre ses cheveux mais je n'osais pas encore, comme la plupart des autres couples, danser joue à joue. Il y avait dans cette retenue une intensité d'émotion dont je mesurais tout le danger, mais qui m'exaltait aussi à l'exemple de notre double accord.

Le slow s'achevait. C'est alors que Thierry s'approcha. Il avait un air absent ou blasé qui m'intrigua, et j'eus l'impression qu'une fatigue subite s'était abattue sur lui. Il ne quittait pas Caroline des yeux et sa voix elle-même me parut voilée d'une tristesse infinie.

— Tu n'as pas dansé une seule fois avec moi.

— Voyons Thierry! La soirée commence.

Il lui prit la main, comme un enfant, et je voyais ses doigts — des doigts de pianiste — jouer avec les doigts de sa cousine. L'idée que, peut-être, j'étais de trop entre eux, me traversa l'esprit, et je prétextai le besoin de me dégourdir les jambes pour me lever et m'éloigner.

Une cacophonie criarde, à prétention musicale, avait repris son martellement monocorde. Je traversai «l'atelier», accroché gentiment ici et là par un garçon ou une fille du cours, pour aller m'accouder au balcon qui surplombait les quelques mètres carrés de pelouse. J'étais seul. La nuit était douce, immobile. Sous le balcon, quelqu'un parlait à voix basse. Je me penchai. Dans le renfoncement de la porte du sous-sol, il y avait un couple. L'ombre d'un arbre me cachait leur visage jusqu'au moment où j'entendis nettement «je remonte». C'était la voix de Danielle. Je glissai sans bruit vers l'autre extrémité du balcon. Elle était dans les bras de Katia.

Quand je revins dans le boudoir, Caroline ne s'y trouvait plus. Ni Thierry. J'avais dû passer sans les voir et je revins dans la grande pièce. C'est alors que Sophie, Thomas et tout le groupe m'entourèrent.

— Monsieur, on va mettre un tango et vous allez le danser, ce sera marrant!

— Non, ce sera un tango; mais je me demande qui, parmi vous, sait le danser!

— Moi.

C'était Katia qui avait parlé. Et j'enlaçai la jeune fille pour danser le célèbre «Jalousie» dont les notes langoureuses contrastaient bizarrement avec le décor, les lumières et tous ces sympathiques jeunes qui nous regardaient.

Katia, l'ai-je dit? devait avoir l'âge de Caroline. Plus grande, plus femme, elle s'imposait au Conservatoire, moins par son indéniable beauté que par cette sorte d'attitude, non pas hautaine, mais dominatrice, assurée, qui émanait de son charme voluptueux. J'avais déjà remarqué tout cela, et combien elle était attachante, mais je comprenais maintenant pourquoi il y avait autour d'elle une zone infranchissable et pourquoi tout en étant parfaitement intégrée dans cette classe de première année, elle restait volontairement sur les bords.

Dans la danse, elle se donnait toute au rythme lascif du tango. Avec excès même. On sentait chez elle une passion retenue et je ne pus m'empêcher de le lui dire:

— Je vous verrais très bien ressuscitant Isadora Duncan.

À ces mots, je la sentis frémir contre moi.

— Ah! Quel être merveilleux, unique! J'aurais voulu vivre en son temps pour la connaître.

— Et l'aimer?

Katia me regarda droit dans les yeux.

— Oui, l'aimer.

La musique s'arrêta. Des applaudissements éclatèrent. Je saluai avec une emphase voulue. Au premier rang du cercle qu'ils avaient formé autour de nous, il y avait Caroline et Thierry. Il n'avait pas lâché sa main.

J'arrêtai la voiture devant la maison que Caroline m'avait indiquée. De l'autre côté de la rue, le parc Lafontaine étendait la somnolence de ses allées et de ses pelouses. Il n'était pas tout à fait minuit.

— Vous auriez peut-être aimé rester davantage avec eux?

— Non, je vous assure.

Dans la pénombre, la douceur de ses traits et de son regard m'attirait vers elle. Je l'enfermai lentement dans mes bras et elle s'y blottit tout de suite dans un abandon si total et si confiant que je n'osais bouger. Un merveilleux émoi paralysait ma parole et mes gestes. J'aurais voulu vivre indéfiniment cette minute... Je l'embrassais dans ses cheveux, mes lèvres suivaient la ligne sensible de son cou, et quand elle releva son visage, il y eut, dans notre premier baiser, une passion qui décida, j'en suis sûr, de tout ce que nous allions vivre.

J'aime rouler, la nuit, dans Montréal. Sur les grandes artères, le jeu des lumières aux couleurs alternées évoque pour moi ces films d'anticipation qui violentent nos cadres familiers et jettent l'imagination hors des limites du réel. Sur les avenues qui ceinturent la Montagne, on ne se lasse jamais d'admirer cette ville dont le quadrillage lumineux semble se fondre dans les voiles du ciel. Vers l'est, le Saint-Laurent déroule son tapis mouvant, comme une piste géante et sombre balisée de feux.

Je ne pouvais rentrer immédiatement: besoin d'air, d'espace, de liberté. De réflexion aussi. Au moment de quitter Caroline j'avais hésité. Son regard caressait mon visage. Allait-elle me proposer de rentrer chez elle? C'était bien ainsi. À la vérité, un sentiment de crainte m'avait retenu. Non que Caroline puisse penser qu'une seule chose m'attirait vers elle, mais secrète intuition d'un danger fulgurant, sans équivoque, qui m'attendait à cette heure précise dans ma vie.

Comment expliquer notre nature? Il n'y avait eu qu'un baiser entre nous, et je me sentais déjà emporté par une incontrôlable exaltation. Je savais que je devais me méfier de ces impulsions sentimentales qui, par le passé, m'avaient valu de douloureuses déceptions, mais cette nuit-là, je savais aussi que tout serait différent et que

toutes les puissances de désir et de rêve se conjugue-
raient en moi pour me jeter vers une aventure sans retour.

J'attendis le lundi avec impatience et anxiété, et
j'arrivai à mon cours plus en avance que d'habitude. Je
voulais aussi revoir mes notes sur la *Symphonie Pastorale* dont j'allais donner une explication détaillée. Les
premiers élèves arrivèrent. Elle n'était pas avec eux. Mon
esprit, malgré moi, la suivait dans son trajet de chez elle
au Conservatoire, et chaque fois que j'entendais des pas
ou des voix, je ne pouvais m'empêcher de regarder
vivement vers la porte. Des élèves vinrent me parler et je
m'efforçais de dominer ce trouble qui m'avait envahi et
contre lequel je fulminais intérieurement. Orgueil d'un
homme qui refuse de réagir comme un collégien!

Ce n'est pas elle que je vis d'abord, mais Thierry qui
lui tenait le bras et qui lui parlait avec une fougue joyeuse.
Caroline souriait. Je lui en voulus de ne pas venir plus
vite vers moi, de ne pas être assez pressée de me retrouver; aussi, lorsqu'elle s'approcha et prit sa place, je la
saluai simplement, comme les autres, mais avec une indifférence étudiée. Je me reprochai immédiatement cette
attitude stupide de mauvaise humeur enfantine, et je fis
un effort de volonté pour ne porter attention qu'à ce que
j'allais dire du roman de Gide. Toutefois, j'avais pu croiser le regard de Caroline et, l'espace de quelques secondes, j'y avais retrouvé cette même interrogation tendre et
anxieuse à la fois, qui m'avait déjà retenu lors de notre
première rencontre. J'en avais besoin pour retrouver
mon calme. L'avait-elle compris?

Je m'étais promis de rattraper la réplique un peu
sèche que j'avais retournée à Caroline lorsqu'elle avait
avancé que le thème de la *Symphonie Pastorale* se
réduisait à une «simple et banale histoire de détournement de mineure». La difficulté consistait à faire arriver

56

très naturellement cette mise au point. Sans le vouloir, Katia allait me tendre la perche.

Après la lecture d'un livre, en effet, j'aime savoir ce que les élèves en ont pensé, ce qu'ils en retiennent surtout et ma question est toute simple :

— Je voudrais quelques commentaires, quelques réflexions personnelles, très libres, très sincères, sur le roman que vous venez de lire. Qui commence?

Katia, d'office, avait pris la parole.

— Avant tout, monsieur, je voudrais dire que je partage le jugement de Caroline sur le thème : c'est bien en effet, un détournement de mineure.

Je ne pus m'empêcher de sourire. La solidarité féminine jouait à plein! et je trouvais ça fort sympathique. Il ne fallait donc rien brusquer et engager, dans le sens voulu par Katia, une discussion d'autant plus délicate qu'elle mettait en cause le crédit de Caroline.

— Évidemment, si on va au fond des choses, il y a un peu de cette idée qu'avançait Caroline et que vous reprenez à votre compte.

— Mais vous lui aviez tout de même répliqué qu'elle disait des bêtises!

— Parce que je n'aime pas les jugements à l'emporte-pièce. Et j'ai réagi — un peu vivement peut-être — au terme employé : «une banale histoire». De toute façon, le thème général du livre n'est pas là. Et puis, il faut s'entendre sur ce que vous appelez un détournement de mineure! Je dois vous avouer que, de nos jours, j'y crois de moins en moins!

Il y eut soudain un vaste éclat de rire. Thomas avait lancé :

— Moi je crois au retournement de mineure!

Mais Katia n'était pas disposée à me lâcher.

— De toute façon le fait est là: le pasteur est un homme de 45 à 50 ans; la jeune aveugle, quand il la trouve dans la montagne, a tout juste quinze ans, donc 17 ou 17 et demi quand l'histoire se termine. Alors!

— Alors il a eu beaucoup de chance.

Ce fut plus fort que moi: en disant ces mots je me tournai vers Caroline. Comme toute la classe d'ailleurs, ma réflexion l'avait amusée et je reçus son sourire comme une approbation. Katia, elle aussi, prit fort bien la plaisanterie.

— Vous n'êtes pas sérieux, Monsieur Mazerolles.

— Bien. Alors je vais l'être.

Et je me lançai ce jour là dans une explication de la *Symphonie Pastorale* comme peut-être jamais avant je ne l'avais fait. À tel point qu'au moment de la coupure tout le monde fut d'accord pour la reporter à la fin du cours. La discussion qui suivit fut passionnante. Tous y prirent part et je pus observer la diversité des tempéraments, des sensibilités et, déjà, la part d'expérience personnelle qui entrait en ligne de compte dans les remarques et les conclusions.

Bien après l'heure, nous étions encore toute une équipe à discuter autour des sentiments de Gertrude, la jeune aveugle. Qui aimait-elle vraiment? Le père ou le fils? La majorité était formelle: elle aimait Jacques, le fils. Beaucoup hésitaient: cet amour n'était pas clairement avoué. Quelques-uns restaient persuadés qu'elle aimait celui qui avait ouvert son esprit au monde et son coeur à l'amour, donc le pasteur. Sophie ne démordait pas de son idée première.

— Enfin! c'est simple! Elle le dit elle-même à la fin:

«Quand j'ai vu Jacques j'ai compris que ce n'était pas vous que j'aimais; c'était lui.»

— Sophie a raison. Bien avant de retrouver la vue, Gertrude sait qu'elle est aimée de Jacques. Et elle a certainement pensé au mariage puisqu'elle dit au pasteur: «on n'épouse pas une aveugle». Et puis... c'est plus normal qu'elle aille vers le jeune!

Aux yeux de Thomas, Sophie ne pouvait qu'avoir raison et j'étais mal placé pour répondre à ce point de vue. Or, Danielle qui, jusque là, n'avait rien dit, fit posément remarquer:

— Pour Gertrude, ça ne veut rien dire, jeune ou pas jeune, puisqu'elle ne les voit pas.

C'était pertinent, et c'était bien là effectivement que se situait le problème de savoir vers lequel allait son coeur. Thomas, toujours direct, pensa apporter la solution.

— Alors elle les aime tous les deux... Quoi? ça arrive, non?

— Je crois que Danielle a raison, reprit Katia. Elle aime d'abord le pasteur quand elle est aveugle, et elle aime Jacques quand elle recouvre la vue. Qu'en pensez-vous monsieur?

Avant de répondre, je m'adressai à Caroline:

— Et vous Caroline... vous ne dites rien?

— Je penche pour l'explication de Katia. Mais alors pourquoi tente-t-elle de se suicider?

Il y eut un silence. Puis des réponses évasives.

Sophie revenait toujours au seul aspect de l'âge.

— Elle se tue quand elle voit qu'elle ne peut plus épouser Jacques. Mais c'est lui qu'elle aime d'amour.

— Et comment aime-t-elle le père?

Un peu surprise par ma question, elle réfléchit quelques secondes avant de me rétorquer:

— Comme un père.

— Pas exactement. Car à lui aussi elle dit qu'elle l'aime. Rappelez-vous leur promenade: «Vous savez bien que c'est vous que j'aime, pasteur...» Alors? Toujours alors?

Thomas s'en alla lentement vers la porte.

— Il est trop compliqué pour moi ce Gide! Tu viens Sophie?

Elle lui fit signe «Attends», et le garçon resta sur place, en retrait, car Sophie revenait à la charge:

— Oui, elle dit ça. Mais quand elle voit les deux, elle va vers la jeunesse et c'est logique.

Katia ne voulut pas lui laisser le dernier mot.

— Ce n'est pas obligatoire. Il y a des jeunes filles qui épousent des hommes plus âgés.

— Moi, je ne me vois pas avec un vieux!

— Sophie, vous déplacez la question.

Je me mis à rire en ajoutant:

— Et je ne défends pas les gens de mon âge.

Je ne sais si Katia fut inquiète pour ma susceptibilité, mais elle me regarda en souriant.

— Vous, vous n'êtes pas vieux.

— Et qu'est-ce que je suis?

— Un professeur doublé d'un poète. Donc doublement intemporel!

60

— Vous êtes bien trop indulgente, et Sophie trop catégorique, car il peut y avoir des exceptions. Sans parler de Charlie Chaplin qui est l'exception des exceptions, c'est assez fréquent dans le spectacle.

— Et plus près de nous? Vous ne voyez pas?

Caroline avait posé cette question sur un ton légèrement ironique et elle souriait dans le même sens.

— Réfléchissez!

C'est Thomas, toujours près de la porte, qui fit se retourner tout le groupe.

— C'est facile! Margaret!

Et comme on le regardait sans très bien comprendre, il ajouta :

— Ben oui! Quoi! La mère des enfants de notre Premier Ministre!

Il fallait en terminer.

— Écoutez-moi. Il est une heure trente. Je propose que nous allions poursuivre cette haute et puissante polémique au petit restaurant.

Tout le monde approuva. Pendant que je rassemblais mes notes, je vis Caroline s'éloigner avec Thierry; ils semblaient discuter assez vivement mais, comme Katia, Danielle et quelques autres m'avaient attendu, ils se joignirent à nous pour descendre au restaurant.

Nous étions une dizaine autour de deux tables rapprochées. Avant de m'asseoir j'allai appeler ma femme pour la prévenir de ne pas m'attendre. Les téléphones et les lavabos se trouvaient dans un étroit passage à l'autre extrémité de la salle. C'est à peine si l'on parvenait à s'y croiser à deux! Quand je m'y rendis, Caroline en repartait. Je m'effaçai pour la laisser sortir; mais elle ne bougea pas et j'avançai vers elle. Elle jeta un rapide coup d'oeil par dessus mon épaule, se serra contre moi et, très vite, sa bouche contre la mienne, eut le temps de me dire :

— Je vous attendrai ce soir, chez moi, à l'heure que vous voudrez.

Les voyants viennent de s'éteindre. On peut détacher sa ceinture et circuler. Je le fais remarquer à Maryse.

— Nous avons passé la zone de turbulence.

— Mais vous, maintenant, vous venez d'y entrer... Car vous êtes allé à ce rendez-vous, le soir.

— Oui, j'y suis allé. J'étais chez elle un peu avant huit heures.

— Et elle vous attendait dans la classique robe de chambre qui ne demande qu'à laisser dénouer ses ceintures... «Détachez ma ceinture»... avec d'abord l'imagination.

Maryse arrêta brusquement ses plaisanteries.

— Je vous choque ou je vous peine... Pardonnez-moi.

— Non.

Parce que Caroline n'avait pas de robe de chambre, mais une robe marocaine, blanche à parements d'or. Une merveille ramenée de Casablanca où sa soeur aînée était mariée à un ingénieur français.

— Allez plus vite... Elle n'a pas gardé sa robe toute la soirée!

62

— Je ne pense pas qu'elle l'ait gardée toute la nuit.
Quand je suis parti, elle l'avait encore. Oui... ça vous
étonne! Eh bien! moi aussi j'ai été très étonné ce soir-là.
Je ne vais pas décrire le studio de Caroline. Il était à
l'image de sa personnalité: un goût très sûr n'excluant
pas l'originalité, quelques plantes, beaucoup de livres...

— Parfait pour le décor, mais après...

— Vous êtes terrible!

— Il ne fallait pas commencer. Je veux tout savoir
maintenant.

Moi je croyais tout savoir sur Caroline. En réalité je
ne savais rien. C'est ce soir là, et au cours de ceux qui ont
suivi que, lentement, j'ai tout découvert de sa vie et de
son coeur. Je croyais être arrivé à un âge où l'on connaît
toutes les émotions, toutes les subtilités de l'amour. Tous
les gestes aussi. Où, inconsciemment, même profondément sincère, on suit quand même — je n'ose dire une
méthode — mais un rituel qui, du baiser à la possession,
passe par toute la gamme des caresses, des attentes, des
nécessaires pudeurs ou des libertés immédiates. Je
croyais qu'il n'y avait que les mêmes mots cent fois redits,
cent fois vécus, cent fois trahis

Or, ce soir-là, devant cette jeune femme de vingt-
trois ans, je me suis senti tout neuf, comme surgi d'un
temps retrouvé. Je crois me souvenir que nous sommes
restés debout, dans les bras l'un de l'autre, sans bouger,
sans une parole, indéfiniment, de peur de briser le cristal
mortel de ces minutes d'éternité. Quand nous nous sommes allongés sur son divan, je pensais, c'est vrai, que
nous allions faire l'amour, mais sans hâte, presque reli-
gieusement, comme pour nous noyer dans le flot divin

de ce rythme prodigieux qui transporte l'être jusqu'aux marches de l'absolu. Nous étions restés enlacés sans parvenir à étancher notre soif de baisers. Nos bouches ne se séparaient que pour mieux se reprendre, se découvrir, et se fondre dans leur double don. Caroline était légèrement plus petite que moi. Elle cachait son visage dans mon cou et répétait sans cesse «Mon amour»... «mon amour»... Et moi, éperdument grisé de ce bonheur hors de toute raison, ne trouvais qu'à lui dire «mon petit»... «ce n'est pas possible!»... «ton amour»...

Et puis le désir... Et cette lente caresse sur le tissu léger d'une robe complice. Car sa robe était fendue sur les côtés mais pas plus haut que les genoux. Sur la bordure du décolleté et des manches, on distinguait les fils d'or dont elle était tissée.

— Je ne voudrais pas froisser votre robe.

Caroline avait parfaitement traduit «Si vous enleviez votre robe»! C'est ce que disait son sourire, mais elle m'étreignit plus fort et murmura contre mon oreille:

— Vous allez vous moquer de moi...

— Pourquoi?

— Vous ne comprenez pas?

— Non, vraiment...

— J'ai vingt trois ans et... (elle hésita quelques secondes) je suis vierge.

Je l'étreignis plus fort encore car on aurait dit qu'elle avait honte de cette révélation et j'aurais voulu lui faire comprendre le sentiment extrêmement délicat qui de toute ma personne montait vers elle, vers sa féminité, et me fit lui prendre les mains pour les baiser avec un infini respect. Je suis sûr qu'elle comprit ma pensée car elle ajouta:

64

—Oh! ce n'est pas par puritanisme ou pour une question de morale, croyez-le, mais... je ne sais comment vous dire parce que je n'aime pas les mots grandiloquents, tout de même il y a un minimum de respect de soi. Si toutes les soirées ou tous les partys doivent obligatoirement se terminer à l'horizontale, quel rapport avec l'amour?

— Je vous comprends, Caroline.

— Il y eut aussi une expérience malheureuse. J'ai été fiancée, fiancée officiellement, chez moi à Chicoutimi, avec un garçon que je connaissais depuis longtemps. Je l'aimais bien...

— Avec un mot de trop!

— Oui. J'avais dix-huit ans. Je croyais qu'on pourrait bâtir quelque chose de valable, de solide... Le soir même de cette fête familiale nous sommes partis dans son auto, tous les deux, je ne sais plus pour où. Il faisait un temps idéal. C'est beau le Saguenay par une nuit de juin! Et cette nuit là plus encore peut-être, pour tous les espoirs dont je voulais être sûre.

— Je devine la suite. Il s'est arrêté en pleine nature.

— Je n'aime pas m'en souvenir et je vous fais grâce des détails... Il voulait tout tout de suite, croyant qu'il avait désormais tous les droits. J'ai essayé de le raisonner. Oui, je voulais bien, mais pas là, pas comme ça...

Caroline s'interrompit. On sentait frémir chez elle une révolte encore inapaisée, une blessure profonde que sa sensibilité n'avait pu complètement surmonter.

Je la berçais dans mes bras comme une enfant. Je souffrais de sa souffrance, de cette désillusion brutale qui avait souillé à ses yeux un acte auquel elle était prête et qu'elle avait sublimé.

Blottie contre moi, sa voix n'était plus qu'un murmure.

— J'ai dû me défendre... me battre... et je me suis retrouvée en pleine nuit, seule sur une route de campagne.

— Mais ce garçon, Caroline, vous me dites que vous le connaissiez depuis longtemps!

— C'est vrai. Mais il faut croire qu'on ne connaît jamais parfaitement quelqu'un, car c'est après, après notre séparation que certains faits sont venus à ma connaissance. On dit que tout se sait, dans une petite ville. C'est sans doute vrai, mais tout se cache aussi et on m'avait soigneusement caché que... mon fiancé voyait régulièrement un psychiatre. (Il m'avait parlé de cours d'électronique pour motiver ses voyages à Québec.) Et puis le temps a passé. J'ai eu... on ne peut appeler ça des aventures puisque je n'arrivais pas à me décider.

Elle leva ses yeux vers moi. Non! ils n'étaient pas «noyés de larmes» selon le cliché habituel, mais on aurait dit qu'une pluie légère les avait frôlés, comme ces brumes d'été qui, en montagne, caressent les sources et les fleurs.

Intérieurement ma décision était prise. Il fallait préparer Caroline à l'amour avec infiniment de douceur, de patience et de tendresse. Car en dépit de ce traumatisme premier au seuil de sa vie de femme, je pressentais chez elle une passion qui ne demandait qu'à s'épanouir. Ce n'était pas ce soir-là qu'elle deviendrait ma maîtresse. Il y aurait un prélude... Et quand elle fit glisser le haut de sa robe, moi je ne fis pas un geste pour la lui retirer tout à fait.

Lentement, de ses lèvres au creux doux et chaud de son cou, puis plus lentement encore vers cette première et double intimité de son corps, je jouais avec mes lèvres et j'appuyai longtemps mon visage contre son coeur, comme si j'avais voulu ne plus vivre qu'au rythme de sa vie.

— Et vous avez eu le courage de la laisser ainsi... de repartir?

— Je ne l'aurais sans doute pas eu, ce courage, mais il est arrivé une chose merveilleuse.

— Elle s'est endormie?

— Décidément, vous devinez tout! Eh bien oui! Elle s'est endormie parce que, sur elle, contre elle, je ne bougeais plus tant j'épuisais tout ce qu'il y avait de rêve, de poésie, de désir aussi dans ces minutes. C'est à peine croyable, mais elle dormait, abandonnée, confiante. Alors j'ai eu l'idée de lui écrire deux vers célèbres de Lamartine. J'ai mis la feuille en évidence, près d'elle et je suis parti.

— Quels étaient ces vers?

— «Dors en paix mon amour
    Mon absence de toi ne sera que d'un jour.»

Ce mot «absence» pèse désormais de tout son poids sur mon coeur. Il y aura eu dans ma vie, avant Caroline et après Caroline... Entre ces deux repères, quoi? Et tout de suite un cliché s'impose à l'esprit: les flammes dévorantes de la passion! Je ne peux m'empêcher de sourire car je me revois dans l'un de mes premiers cours à l'université, devant des étudiants de seconde année de licence. Un cours sur le roman. Je parle justement des clichés à éviter, des formules toutes faites usées jusqu'à la corde. Et je cite: «des cheveux blonds comme les blés», «la maison nichée dans la montagne», et bien sûr, «le feu de la passion». À ce moment là un étudiant m'a interrompu:

— Mais monsieur, si la maison est vraiment nichée dans la montagne, ou si ma blonde est vraiment blonde comme les blés, comment faut-il le dire?

— Je n'en sais rien. La littérature n'est jamais fixée, une fois pour toutes, comme une recette de cuisine.

Eh oui! comment faut-il le dire que j'ai été dévoré de passion, soumis par ses exigences, brûlé par son exaltation, et tout au long de ces jours dont le sillage dépasse maintenant mon destin, déchiré entre ce qui se devait de rester raisonnable et ce qui demandait le courage d'être vécu.

Encore des mots dont je me grise pour me donner bonne conscience, pour éluder le mal que j'ai fait. Pour effacer aux vitres du temps la trace embuée des larmes perdues... Alors comment oser parler de courage? N'est-ce pas le mot «inconscience» qui conviendrait le mieux?

Trois soirs de suite je suis revenu chez Caroline. Au lendemain de la première soirée, j'avais téléphoné chez elle dans la matinée. Nulle réponse, elle devait être au Conservatoire. Ce n'est que vers la fin de l'après-midi — quatre ou cinq heures — que j'ai pu enfin lui parler. Et tout de suite:

— Vous ne ferez pas mentir Lamartine?

— Certainement pas. Attendez-moi pour huit heures.

J'y suis arrivé vers sept heures trente. Elle sortait de son bain ou de sa douche car elle était, cette fois, en robe de chambre, sans le moindre maquillage, les cheveux fous, un air d'enfant pris en faute. Tellement que, d'instinct, pour la première fois, je la tutoyai.

— Ne dis rien... Oui, je sais, tu ne m'attendais pas si tôt.

68

Je la tenais à la distance de mes bras tendus, mes mains sur ses épaules. Dans ses babouches bleues elle paraissait un peu plus petite et, l'espace d'une seconde, le visage de ma fille s'imposa à mon esprit. Je chassai vite cette impression. Je ne voulais d'autre réalité que ce jeune amour. Qu'importaient son âge, le mien, le scandale possible, le dénouement. J'avais besoin de ce passionnant danger...

Mes bras refermés sur elle. Sous mes lèvres ses baisers tour à tour lents et comme appliqués, ou violents jusqu'à en perdre le souffle, et puis sa tête jetée contre moi.

Et puis... nous deux sur son divan. Une seule lampe allumée dans l'angle de la bibliothèque. Abandonnée aux bras d'un fauteuil: sa robe de chambre. Et Caroline offerte à l'amour, à mon amour, pour la première fois de sa vie...

Un long temps je l'ai gardée contre moi, sans bouger. Lorsque j'ai laissé ma main suivre la ligne vibrante de son corps, elle a eu une réflexion qui m'a fait sourire :

— Tu aurais voulu peut-être, toi-même, me déshabiller.

— Non ma chérie. Mais toi tu peux.

— Je n'ose pas...

J'avais déjà ôté ma veste et l'avais lancée sur le fauteuil d'où elle avait glissé à terre, étendue aux pieds d'une robe de chambre endormie.

Je pris la main de Caroline et lui fis avec moi défaire sans hâte la chemise que je portais.

— Ma ceinture maintenant... Continue... C'est comme si tu allais me mettre en maillot de bain... Voilà...

Je ne sais alors si c'est l'impulsion d'un désir soudain ou celle d'un sentiment d'incontrôlable pudeur, mais elle se renversa sur moi, m'enserrant tout entier dans ses bras, m'habillant de son corps comme on protège du froid un enfant frileux.

Il m'est impossible d'évoquer ces heures sans me sentir encore éperdument troublé par tout ce qu'elles ont laissé en moi d'enchantement sentimental et de tumultueux désir. Jamais encore, avec une telle joie, une telle passion, je n'avais fait découvrir à une femme la richesse des harmoniques de l'amour... Jamais encore, sous ma bouche, je n'avais senti frémir avec autant de chaleur amoureuse, un jeune corps offert en sa source de vie... Sa main dans mes cheveux, Caroline se donnait toute à cette neuve caresse et j'avais le sentiment d'une communion charnelle et cependant mystique qui nous liait à tous les sortilèges du monde.

Il est possible qu'un jeune homme ait besoin d'être initié, d'être conduit dans ses premières étreintes. Pas une femme, du moins je ne le pense pas. Comme elle sait trouver les mots, elle sait trouver les gestes. Elle est femme depuis que sa sensibilité a été confrontée à ses rêves, à ses élans, à ses secrets émois. L'âge seul peut varier. Il n'est plus pour elle de fausses pudeurs. Toutes les caresses les plus intimes, les plus osées, deviennent paroles d'âme, et lorsque je voulus éloigner de mon corps le visage de Caroline, ses mains étreignirent mon dos jusqu'à le griffer pour me garder et prolonger jusqu'au cri cet étrange et merveilleux baiser qui lui livrait tout de moi... Quand je la quittai, elle était presque une femme.

Il n'était pas tout à fait onze heures lorsque j'arrivai chez moi. Lydia, comme chaque soir, était devant la télé. Elle ne me fit aucune réflexion car j'avais prétexté des réunions du département, réparties sur plusieurs soirs de

70

la semaine. Hélène, pas encore couchée, me tomba dessus pour l'aider dans son travail.

— Papa, je m'en sors pas de ma dissert.

— Y es-tu entrée seulement?

— Je crois. Tu viens?

Hélène avait arrangé sa chambre avec beaucoup de goût. On y décelait déjà la touche d'une féminité charmante et... désordonnée. Un peu partout des photos d'artistes dont j'ignorais le nom, mais qui font vibrer les jeunes de notre temps. Au dessus de son lit, dans un cadre, le poème que je lui avais écrit pour ses quinze ans.

On peut être un excellent professeur pour des élèves qui vous arrivent de tous les pays et de tous les milieux; on ne l'est jamais pour les siens. C'est stupide mais c'est ainsi. Ce soir-là, pourtant, je fus plus patient, plus attentif au devoir qu'Hélène avait à rendre. Et à rendre, bien sûr, pour le lendemain.

— Tu ne pouvais pas t'y prendre plus tôt?

—J'avais pas l'inspiration.

— Pourtant ce sujet est intéressant.

— Jacques nous donne toujours de bons sujets.

— Jacques? Ah oui! Jacques, ton professeur. Un copain quoi!

— Oh! un copain qui sait mettre de mauvaises notes. Mais on l'aime bien... Moi... je sais que je l'aime bien.

Elle avait dit ces derniers mots sur un ton qui me surprit, et c'est en souriant que je lui lançai:

— On dirait que tu en es amoureuse?

— Un peu...

— Un peu… comment?

— Un peu… beaucoup.

— Tu sais, c'est classique qu'à ton âge on soit un peu amoureuse de son professeur.

— J'ai dit un peu-beaucoup, papa.

— C'est vrai?

— Oui. Plus beaucoup qu'un peu.

— Et il le sait?

— Il s'en doute.

Que pouvais-je ajouter? Intérieurement je songeais à l'ironie malicieuse de nos sentiments et de nos attitudes, alors que j'avais encore sur ma peau l'empreinte et le parfum d'un jeune corps.

— On dirait que ça te rend triste.

— Non pas triste. Rêveuse…

Pour moi, soudainement, une révélation: ma fille, ma petite Hélène de quinze ans était déjà une femme. Ce simple mot «rêveuse» me la faisait découvrir tout autre et je compris que je n'avais pas le droit de ne pas prendre au sérieux cette première confidence de mon enfant. Elle était assise à son bureau. Je mis mes bras autour d'elle et elle s'abandonna contre moi, sans rien ajouter.

— Quel âge a-t-il ce… Jacques?

— Oh! Il n'est pas très vieux. Trente-cinq peut-être…

«Et toi tu en as quinze»… mais ça, je n'osai pas le dire.

Je mis simplement ma joue sur ses cheveux et l'embrassai.

— Tu comprends bien qu'avec ton professeur...

Je n'achevai pas la phrase. Mon hypocrisie me sautait au cœur.

— Je sais bien papa. Mais ça n'empêche pas les sentiments. À mon âge on est une femme.

Elle ne faisait que confirmer mes pensées et je ne trouvai rien à répondre.

— J'ai des camarades de classe qui prennent déjà la pilule.

— Je m'en doute.

— Tu es contre?

— Contre quoi?

— Eh bien!... contre le fait de prendre la pilule dès que...

Elle hésitait à prononcer certains mots par crainte, sans doute, de me choquer ou de me fâcher.

— Tu peux me parler librement ma chérie.

— À quinze ans on est capable de faire l'amour.

— Ça aussi, je m'en doute.

— Alors il faut bien prendre la pilule.

— Et c'est pourquoi tu me demandes si je suis contre?

— Oui.

— Écoute... je te répondrai franchement: si c'est pour vivre un grand amour, un amour qui puisse t'apporter...

Là encore, les mots s'arrêtèrent dans ma gorge. Avec une rapidité inconcevable c'est à moi que je posais la question: Un grand amour... j'allais vivre un grand amour? Mais pour elle? Pour Caroline, qu'allait-il lui apporter ce grand amour? L'égoïsme n'était-il pas à sens unique?

— Je t'écoute papa.

— Ma petite Hélène... tu es encore trop jeune pour... pour ce qui ne serait qu'une expérience.

— Il faut bien la faire un jour.

— D'abord tu as le temps et puis... tu crois qu'on peut appeler ça une expérience?

— Papa, dans un de tes poèmes tu as écrit que seize ans, c'était l'âge idéal de l'amour pour la femme.

— Peut-être. S'il y a vraiment l'amour.

Ce n'était pas la première fois que nous avions, ma fille et moi, une discussion sur ce sujet, mais jamais encore peut-être, nous n'y avions apporté l'un et l'autre, autant de nous-mêmes, autant de sincérité. Et nous restions sur une question sans réponse comme deux alpinistes isolés sur deux plates-formes rocheuses et qui, pour se venir en aide, tendraient vainement leurs mains au-dessus du vide. Mon fils René avait eu un jour ce mot terrible, dont la résonnance en moi n'était pas prête de s'affaiblir:

— Nous comprendre, c'est te justifier.

Non, je ne cherchais nullement à me justifier, pas plus qu'à m'accuser par je ne sais quel sentiment d'hypocrite repentir. Et, lorsque le lendemain soir je sonnai chez Caroline, je n'avais en moi d'autre orage que celui d'un impatient désir. Désir d'aimer, de me sentir aimé et d'anéantir dans l'exaltation ou l'apaisement, l'angoissante fuite des heures.

74

Elle vint m'ouvrir, et tout de suite, à l'expression de son visage, je compris que ce soir-là était pour elle l'un des plus importants, des plus graves de sa vie. Elle portait une jupe noire longue, terminée par un étroit volant de dentelle. Un chemisier de style hongrois, ou roumain, ajoutait au rayonnement de son teint et de ses yeux. Fut-elle jamais plus belle? Je ne saurais le dire, mais je restai un moment à l'admirer, sans faire un pas, sans dire une parole, ivre déjà de la seule griserie du regard.

Aujourd'hui, lorsque je veux me souvenir de cette soirée, de cette nuit, puisque je ne partis de chez elle que vers trois heures du matin, je n'ai qu'à relire la lettre qu'elle m'écrivit le lendemain et qu'elle me remit au Conservatoire le lundi suivant. Je n'ai même pas besoin de la relire. J'en connais par coeur — et par le coeur — chaque phrase, chaque mot, et la voix de Caroline m'arrive encore comme elle m'arrivait, étouffée mais vibrante d'une ardeur folle lorsque, noyé en ses cheveux, je restai anéanti, comme hors du temps, tel un enfant qui s'abrite pour échapper à ses fantasmes et à ses peurs. Oui, cette lettre reste pour moi la seule justification — et combien fragile cependant! — de ce que nous avons vécu:

«Mon amant,

Tu viens de partir et tu ne m'as pas quittée. Je suis seule dans cette chambre et pourtant tu es partout, tant je suis encore toute à toi, toute possédée par toi. Par toi, mon amant... Sais-tu avec quelle joie ardente et profonde j'écris ces deux mots merveilleux «mon amant». Non, ce n'est pas le mot qui est merveilleux, c'est l'amant qui l'a été. Plus et mieux que tout ce que j'avais rêvé depuis toujours.

Je revis chaque instant, chaque parcelle de seconde de ces heures où, sans quitter tes bras, je suis devenue vraiment une femme. Mon amant... J'ai enfin! un amant, et cet amant c'est mon amour. Comme c'est étrange! Nulle crainte, nulle appréhension n'ont fait hésiter mon élan vers toi. Sous tes lèvres, mes lèvres ne sont jamais timides et sous ta main mon corps devient les harpes de mon coeur.

Ah! comme je voudrais que chaque jeune fille soit initiée à l'amour, puisse tout découvrir de l'amour, comme tu me l'as fait découvrir toi-même, comme tu me l'as fait languir toi-même... Mon bonheur a été à la mesure de ma longue attente. Mais peut-on mesurer ce qui est infini?

Mon amant, mon amour, je t'aime et je veux garder, au plus intime de mon être, jusqu'au dernier jour de ma vie, l'ineffaçable souvenir de ma première nuit. »

J'étais donc rentré vers trois heures. Lydia ne s'était pas réveillée. Il lui arrive assez souvent — trop souvent à mon gré — de prendre des somnifères, et le lendemain, quand je me levai vers sept heures trente, c'est tout juste si elle ouvrit un oeil pour me demander:

— Tu es rentré tard?

— Pas très tard. Dors. Il faut que je sois à neuf heures à l'université.

À peine arrivé dans mon bureau, je composai le numéro de Caroline, mais je raccrochai avant le déclenchement de la sonnerie. Je savais qu'elle n'avait pas de cours dans la matinée, alors pourquoi la réveiller? Mais je me sentis dominé par un tel besoin d'entendre sa voix, qu'il me fut impossible de patienter plus longtemps. Je refis son numéro; je n'entendis la sonnerie qu'une fraction de seconde...

— Enfin! Mon amour...

— Tu ne dormais pas?

— Non. J'avais la main sur le récepteur. Je t'attendais...

Moi, j'attendis le lundi avec une certaine anxiété. J'allais avoir devant moi, au milieu d'un groupe, ma jeune maîtresse. Cela me grisait et en même temps j'éprouvais une certaine crainte : celle de manquer de naturel, de laisser comprendre un regard, une parole, un sourire. Ce besoin constant de me surveiller n'allait-il pas briser le rythme normal de mon cours? Je sais par expérience qu'on ne triche pas avec les jeunes. Ils nous observent, nous jaugent très vite, nous décortiquent en moins de deux, et s'ils sont entiers dans leur amitié et leur admiration, ils sont impitoyables dans leur jugement. Je me souvenais d'un cas presque semblable, que j'avais connu dans un grand collège de jeunes filles : un de mes collègues, débutant, qui en classe de philosophie, était tombé follement amoureux d'une de ses élèves. J'étais son confident et j'avais l'impression de partager avec lui — avec eux — tous les charmes et toutes les angoisses de leur aventure.

«Tu ne peux savoir, me disait-il, ce que je peux éprouver lorsque je rentre dans ma classe, que je la sais là, au milieu des autres, que je vais peut-être l'interroger, que je vais seulement l'effleurer d'un regard sans oser m'attarder une seconde de trop de peur de lui crier «je t'aime»... Et puis, il y a notre code...»

C'est vrai, ils avaient un code. Pas mal imaginé d'ailleurs! J'en ai oublié les détails, mais il en est un qui m'avait intéressé par son côté gentiment érotique: quand les circonstances le permettaient, elle s'arrangeait pour qu'il puisse connaître la couleur de son état d'âme... et c'est selon cet état d'âme qu'elle choisissait, avant de s'habiller, le rose, le noir, le bleu ou le vert pâle du léger tissu qui allait couvrir sa féminité...

La dernière image du film vient de se fondre sur l'écran. Les lumières rendent vie à notre vaisseau de l'air. Je fais remarquer à Maryse qu'il serait sans doute préférable de regagner notre place.

— Pourquoi? On est si bien ici. Pour l'instant, le bar est fermé. C'est tranquille. Et puis... votre histoire me passionne.

— Croyez-vous? N'est-ce pas une banale aventure comme il en arrive souvent?

— Même si cela n'a été qu'une aventure, vous ne devez pas la diminuer. Surtout si quelqu'un en souffre encore. Ne l'oubliez pas.

— Il y a eu plus grave qu'un simple chagrin.

— Ne me dites pas tout, tout de suite. Moi je vous imagine devant elle, et elle devant vous, pendant vos heures de cours.

— Il n'y a eu aucun ennui de ce côté-là. Évidemment la situation était...

— Trouble?

— Je dirai, plutôt étrange. Une chose est sûre, et vous le comprenez bien: j'avais éveillé Caroline à une sensualité que décuplait encore et ses sentiments pour moi et sa sensibilité naturelle. Mais je n'ai plus vingt ans... et même si je pouvais me rendre libre un peu comme je voulais, dans une telle situation il y a toujours le moment où l'on se quitte, les fins de semaines, l'obligation,

78

plus ou moins, de se cacher, tout ce côté clandestin qui, je le voyais, démoralisait parfois Caroline.

— Je sais... J'ai connu, moi aussi, tout cet aspect «Back Street»! Mais... dites-moi, il n'y a pas eu d'histoires chez vous?

— Pas tout de suite. Bien sûr ma femme, un jour, s'est inquiétée de mes... fatigues prolongées, mais sans y attacher d'autre souci que celui de ma santé. Pour la rassurer, je suis allé voir un de mes vieux amis médecin qui m'a donné quelques boîtes de vitamines. Chaque matin, j'en faisais avaler une... à ma poche!

— Si je vous comprends bien, votre jeune amie était d'un tempérament exigeant?

— À vingt trois ans, c'est normal.

— Mais, dites-moi... la première fois?

— Eh bien?

— La première fois où vraiment...

— Vous voyez! Même vous, vous hésitez devant certains mots, tellement ils sont pauvres pour dire ce qu'on ne sait plus leur faire dire.

— Vous jouez tout de même avec ces mêmes mots parce que vous êtes poète. Et c'est ce qu'il y a de merveilleux!

— Pour cette première fois... voulez-vous relire sa lettre? «Nulle crainte, nulle appréhension n'ont fait hésiter mon élan vers toi».

— Vous m'avez dit qu'elle était habillée d'une jupe longue.

— Même si je le voulais, je ne saurais tout vous dire.

— Je vais vous aider. Vous êtes resté un instant à l'entrée. Après vous l'avez prise dans vos bras.

— Impossible. Dans mes bras il y avait un bouquet de roses et deux disques de Frank Pourcel. Oui, elle aime les roses et les violons de ce grand orchestre. Alors on a mis les roses dans un vase, on a fait tourner un disque et on a dansé.

— Sur les roses de ce soir-là!

— Sur un air très doux «Si tu t'appelles mélancolie».

— Il y a toujours un fond de mélancolie sur les sommets du bonheur. Après...

— Après, ce fut si simple! N'oubliez pas qu'il y avait eu «avant». Donc, nous étions comme exorcisés de toute pudeur inutile, de toute gêne. Nous étions, elle et moi, les premiers amants au premier matin du monde.

— Elle d'abord.

— Oui. Elle. Alors...

— Non, laissez-moi continuer. Je vous vois danser... Il n'y a qu'une faible lumière n'est-ce pas?

— Oui, comme le premier soir.

— Vous dansez sans un mot. Le disque s'est déjà arrêté et vous dansez encore. La danse est un prélude... En caressant les fleurs brodées sur son chemisier, vous l'avez dégrafé. Il n'y avait rien d'autre entre son coeur et vous, et vous vous êtes penché pour embrasser cette douceur frémissante et parfaite, déjà tendue vers vos lèvres. Un geste rapide et sûr de sa main: la jupe est tombée comme une corolle inutile et, dans vos bras, idéalement nue, vous serrez avec un tendre désir une jeune fille de vingt-trois ans qui vous désire et qui vous aime.

— Maryse, je vous en prie...

— Vous n'aimez pas évoquer ce souvenir?

80

— Non, car il me fait prendre conscience de ce que j'ai perdu.

— Pensez à elle, et non toujours à vous.

— C'est vrai.

— Je continue. Vous êtes étendus, ensemble, comme si à l'instant vous veniez d'être créés. Une part de Dieu est encore en vous. Rien n'est à apprendre. Vous savez déjà que tout est don, que rien n'est défendu au jardin de la femme et vous cueillez tout ce qui, sous vos lèvres, s'ouvre à votre attente.

Enfin! Sur son corps abandonné, le poids du vôtre qu'elle accentue de son étreinte. Et c'est vous maintenant, qui avez peur, non pas elle. Un seul mot peut-être, de votre part...

— Non, trois: «Pardon ma chérie»...

— Elle vous a fermé la bouche avec un lent et long baiser, pour que vous n'entendiez pas sa première plainte d'amour. Elle était une femme...

Maryse, brusquement, se colle à mon côté.

— Continuez. Dites-moi elle, et puis vous, ou ensemble?

— Elle d'abord. Et tout de suite, à mon oreille, sa voix chaude, voilée, lointaine, sa voix de femme nouvelle déjà possessive et maîtresse: «Reste... Oh! reste, mon amour...» Et ses bras sur mes reins et son corps sous mon corps ont fait chavirer toute volonté, toute prudence pour ces quelques secondes où se déchire, au seuil d'autre chose que la vie, les voiles d'une plénitude fulgurente et sans mémoire.

— Et vous croyez qu'elle a oublié, comme ça, sur commande, des heures aussi intenses, des moments de vie aussi exaltés?

— Il y a chez elle une grande volonté, une raison solide.

— Et chez vous le besoin d'une double excuse.

Ce reproche gifle ma conscience. Je me tourne vers Maryse, mais très vite je détourne les yeux. Encore cette impression de plus en plus nette que nous nous sommes déjà rencontrés il n'y a sans doute pas très longtemps car son regard insistant me pénètre comme une interrogation anxieuse et cependant amicale. Je force ma mémoire inutilement pour arriver à saisir et à situer un souvenir qui se refuse.

— Un jour il vous faudra raconter cet amour avec ces mêmes mots, avec cette même intensité.

— Je n'en serai pas capable.

— Qu'en savez-vous?

— Ou alors bien plus tard, peut-être.

— Avec Caroline, pouviez-vous vous rencontrer souvent?

— Je vous l'ai dit, il m'était assez facile de me libérer; de jouer avec mes horaires.

— Et personne, parmi les étudiants, ne s'en est douté? Car vous le savez comme moi, ces choses là se sentent.

— C'est vrai. Aussi bien que l'on puisse dissimuler, il y a toujours une faille. C'est peut-être curieux à dire, mais c'est Katia qui, la première, a compris quelque chose.

— Comment ça?

— Tout simplement parce que, au début, en septembre, elle pensait que Caroline et elle...

— Mais il y avait Danielle m'avez-vous dit.

82

— Pas encore. Katia connaissait un peu Caroline. Elle la savait seule, agréable, intelligente. Elles auraient formé un couple parfait.

— Ça ne vous choque pas?

— Pas le moins du monde. Pourquoi voulez-vous que ça me choque?

— Vous avez raison. Mais tous les hommes ne pensent pas comme vous.

Même chez les jeunes les jugements diffèrent. Dans ce milieu où il est normal d'être très large d'esprit, j'avais fort bien remarqué, dans la classe, ceux qui ne se gênaient pas pour envoyer à Katia ou à Danielle quelques allusions qu'ils pensaient spirituelles. Rien de méchant, bien sûr, mais ces réflexions désagréables venaient toujours de la part des grincheux habituels, de ceux que Carzet lui-même appelait «les pisse-vinaigre». Il y en a dans tous les secteurs, car ces gens là sont comme les disques usés: ils se répètent aux mêmes passages.

Il y en avait un en particulier qui ne manquait jamais une occasion de plastronner pour tout et pour rien et qui, lors de notre dernier cours sur Gide et le rôle de l'homosexualité dans son oeuvre, avait lancé à Katia une remarque de mauvais goût. C'était juste à la fin et je n'avais pas cru bon de rappeler le garçon à l'ordre, mais je m'étais bien promis de ne plus lui permettre ce genre d'intervention. D'ailleurs on pouvait se demander ce que cet étudiant faisait dans un conservatoire d'art dramatique car, à moins de jouer les burlesques inconscients — et encore! — je ne le voyais même pas dans le rôle d'un valet de pied ânonnant le classique «Madame est servie»! (Il y aurait bien eu alors, un émule de Sacha Guitry, soit sur la scène, soit dans la salle, pour ajouter ces deux mots: «bien mal»!)

L'incident se produisit alors que j'avais donné en explication de texte, le magnifique poème de Pierre Louÿs «Psyché». J'admire infiniment ce poète. Sa fin désolante, moralement tragique, me le fait aimer plus encore, et j'avais tout naturellement évoqué sa première oeuvre célèbre, ce chant sublime de l'amour saphique: «Les Chansons de Bilitis».

Tandis que je parlais, je repérais mon bonhomme qui s'agitait, et qui, bien entendu, lorgnait vers Katia et son amie. Thierry posa alors une question inattendue:

— Monsieur, Bilitis a-t-elle existé?

Je n'eus pas le temps de répondre, mon lourdeau affirmait:

— Katia existe bien!

Katia allait répliquer sans doute plus violemment encore qu'elle ne s'était retournée, mais je lui fis un signe impératif pour qu'elle se taise, et c'est moi qui répondis comme je le voulais.

— Voyez comme les compliments arrivent parfois alors qu'on ne s'y attend pas du tout! Car c'est un magnifique compliment, un véritable hommage que l'on vient de vous adresser, ma chère Katia. Vous comparer à Bilitis, c'est vous comparer à la Beauté grecque, à la Beauté parfaite! Et si le poète nous la dénude avec des mots, Praxitèle l'avait sculptée dans le marbre blanc de Paros. Et même de nos jours, un poète a pu écrire:

Sous le ciseau de Praxitèle
La ligne pure de Beauté
À Bilitis donne des ailes
Mais à Sapho la volupté.

Et tourné vers le garçon qui s'écrasait sur son siège, j'ajoutai avec une ironique obséquiosité:

— Merci, jeune homme, de nous avoir donné l'occasion d'étendre le débat et de rendre un hommage plus particulier à la Grèce, à Pierre Louÿs et... à Katia!

Ce fut instantané: les applaudissements crépitèrent et le plus drôle c'est que le garçon en question ne fut pas le dernier à taper dans ses mains.

Katia me téléphona le lendemain.

— Je peux vous voir, Monsieur Mazerolles?

— Bien sûr. Passez à l'université en fin d'après-midi. Mon bureau est dans le pavillon F, troisième étage, porte 3016.

Novembre s'achevait sous une neige légère et fine qui s'évanouissait d'elle-même en touchant le sol. Il faisait relativement doux; les gros vêtements d'hiver n'avaient pas encore mis le nez dehors. Katia arriva, toujours d'une élégance très sûre. Adrienne, aimablement, la fit entrer dans mon bureau non sans m'avoir glissé un sourire en refermant la porte... ce qui, évidemment, me fit doublement sourire! Je fis asseoir la jeune fille.

— Tout d'abord, monsieur Mazerolles, je tiens à vous remercier pour hier...

— Ne me remerciez pas, c'est tout naturel, et vous m'avez permis de donner une leçon à cet imbécile.

— Justement j'ai encore besoin de vous. D'un conseil de vous, au sujet de mes études. Voilà: j'ai longtemps hésité avant de m'inscrire au Conservatoire. Mon âge... J'ai l'âge de Caroline...

Elle s'interrompit brusquement en me regardant, mais se reprit très vite et poursuivit:

— Les difficultés qui nous attendent, le peu de chance dans un métier où tant de jeunes se bousculent...

— Pas que des jeunes je crois.

— Je le crois aussi. Alors j'ai pensé qu'il serait peut-être préférable pour moi, de revenir en Lettres où j'avais déjà fait une année à l'Université Laval, lorsque j'habitais Québec.

— Dans ce cas, pourquoi être venue au Conservatoire?

Le Théâtre m'a toujours tentée. J'écris un peu aussi. Et puis surtout, le besoin de s'extérioriser, de vivre vraiment avec tout ce que l'on porte en soi de bon, de trouble, de chaleureux, d'inassouvi ou de complexé, je ne sais trop!

— J'espère que vous n'avez aucun complexe?

— À vrai dire, non.

— Pourquoi être venue chercher un conseil justement auprès de moi, alors que je ne suis, au Conservatire, qu'un professeur occasionnel? Comprenez moi bien Katia, je suis très heureux de parler avec vous, et si je peux être d'une aide quelconque, vous pouvez compter sur moi. Mais pour le théâtre il vous faut voir un professeur d'art dramatique ou encore le directeur, monsieur Carzet.

— Je sais ce qu'on va me répondre, tandis que si je peux revenir à l'université, c'est ici que je veux être, à l'Université de Montréal et suivre vos cours.

— De toute façon vous ne pouvez pas vous inscrire maintenant.

Katia ne répondait rien. Je me levai et m'approchai d'elle.

— Katia... pourquoi êtes-vous venue?

Elle se leva à son tour. Face à moi elle était de ma taille. Dans ses yeux, par instant, quelque chose de volontaire tempéré aussitôt par un regard plus doux, plus féminin. Ces deux aspects passent dans sa voix.

— Allons prendre un verre quelque part, voulez-vous?

— Oui.

Je n'aime pas la foule. Pour bavarder, rien ne vaut un petit bar tranquille — même s'il faut le découvrir dans ces innommables blocs de ciments où ont été creusés tant de nos grands hôtels — où un pianiste apaisé pianote une ambiance de calme et d'intimité. Katia est devant moi dans un confortable fauteuil. Elle a pris un porto, moi j'ai opté pour un très bourgeois Saint-Raphaël. Je renouvelle ma question.

— Katia, dites-moi véritablement pourquoi vous teniez à me voir.

Elle jouait avec son verre. Et puis brusquement son regard, bien droit, en plein dans mes yeux, comme une lumière projetée et qui vous passerait au travers. Quelle étrange fille! Une beauté sauvage, fière, je ne trouve pas d'autres termes, et si dangereusement femme!

— Nous pouvons parler en toute liberté je suppose?

— Évidemment. Un ami qui bavarde avec une amie. Lui s'appelle Jean-Claude, elle Katia. C'est tout!

— Savez-vous Jean-Claude que si les hommes me tentaient...

— Vraiment?

— Je crois.

— Pourquoi?

— D'abord parce que vous êtes d'une sensibilité presque maladive.

— Vous pouvez enlever le «presque»!

— Et puis parce que vous êtes celui qui m'a fait découvrir la poésie. Oui, je devais avoir douze ou treize ans lorsque l'un de vos livres est tombé dans mes mains, par hasard, chez une amie de classe où j'allais jouer. Elle devait avoir un an de plus que moi et je couchais souvent chez elle en fin de semaine. Ce soir-là, dans mon lit, j'ai pris vos poèmes et je les ai tous lus. Ce soir-là, pour la première fois, troublée comme jamais encore, par vos vers Jean-Claude, par cette musique venue de vous, par la sensualité de certaines images — ah! comme vous savez suggérer! — oui, pour le première fois je suis allée jusqu'au bout d'une caresse. Ce soir-là, j'ai découvert que je pouvais déjà...

— N'ayez pas peur des mots.

— Que je pouvais jouir de mon corps, de mes rêves, de toutes ces pensées extravagantes qui, à cet âge, m'agitaient déjà comme autant de feux follets sur une lande sans barrières..

— Vous me faites mesurer la responsabilité du poète. Car au fond, c'est le poète qui vous attire et non l'homme.

— Ce n'est pas aussi simple. Regardez seulement dans notre groupe, en première année. Sophie, par exemple, a l'air toute fofolle. Croyez-vous qu'elle l'est vraiment?

— J'ai remarqué chez Sophie, des «absences», mais ça ne dure pas longtemps en général.

— Sophie est amoureuse.

— Pas de Thomas?

— Non, pas de Thomas, mais de… devinez!

Notre conversation prenait un ton enjoué qui ne me déplaisait pas, et cependant, je sentais que Katia, seule, menait la conversation. Son côté «castillan» imprimait à sa personnalité, déjà attirante, une tendance dominatrice. Contraste évident avec la nature douce et timide de Danielle. Quant à Sophie, non, je ne voyais pas.

— Alors vous n'avez rien remarqué?

— J'ai remarqué que Thomas, dès qu'il le pouvait, était dans les jupes de Sophie.

— Ça c'est facile à voir, et il est plus malheureux qu'on ne pense.

— Si je vous suis bien, la situation est assez semblable à celle que nous avons vue dans «Andromaque»! Vous vous souvenez?

— Bien sûr. Oreste aime Hermione qui aime Pyrrhus qui aime Andromaque qui aime son défunt mari! La fin de tout quoi! Alors transposez en partant de Thomas.

— Allons-y! Thomas aime Sophie qui aime…! Alors là, à vous de jouer.

— Qui aime Thierry.

Katia avait dit celà d'une voix sourde. L'expression de son visage, devenue soudainement grave, me frappa. Je répétai machinalement «Thierry»?

— Oui, Thierry. (Un silence et) Thierry qui aime…

Une fois encore ce regard qui allait chercher le mien jusqu'en ses sources. On ne pouvait rester indifférent, ni prendre à la blague des propos qui jusque là n'étaient que des plaisanteries. Je devinais chez Katia une pensée présente, plus impérative et qu'elle allait me livrer. Ce n'était donc plus un jeu.

— Je vous écoute.

Toujours ce même regard qui commençait à créer en moi une sorte de gêne inexplicable. Et la même voix pour laisser tomber ces mots:

— Qui aime Caroline.

Je n'ai pas tiqué. Ma voix seule pouvait me trahir.

— Caroline? Et alors?

— Alors à vous de jouer... qui aime...?

Un long moment nous sommes restés ainsi, à laisser parler nos yeux. Et puis j'ai baissé pavillon.

— Bien amenée, votre réponse. Elle commence par un nom... alors, je vous écoute.

— Mettons bien les choses au point, Jean-Claude. Je ne voudrais pas que vous vous mépreniez sur mes intentions. Je n'ai rien d'une cancanière. Et d'abord je suis la seule, la seule, j'en suis sûre, qui a compris.

— À quoi avez-vous compris?

— Je vais tout vous dire. Avec Caroline, nous nous connaissions vaguement. Peu de temps avant la rentrée, nous nous sommes rencontrées à une exposition de photos. De très belles photos prises dans le Grand Nord par un pilote d'hélicoptère. Vous voyez pourquoi je précise?

Son sourire me sembla voilé d'une ride de tristesse, et sans chercher à approfondir, je compris que j'avais en elle une alliée. Si elle précisait, c'est parce que Caroline avait en bonne place dans son studio l'une des plus belles photographies de cette exposition.

— Nous sommes sorties ensemble et j'ai invité Caroline au restaurant.

— Je vois... vous êtes rentrée avec elle?

— Oui.

— Chez elle ou chez vous?

— Chez moi. Pourquoi vous cacher que j'étais attirée par son charme, sa manière d'être... je ne peux pas expliquer.

— Ça ne s'explique pas.

— Et je le lui ai dit tout simplement.

— Et elle?

— Vous le savez aussi bien que moi. Elle ne pouvait accepter la banalité ou le superficiel. «Une belle chose ou rien» disait-elle. Et puis... il y avait eu une triste expérience.

— Elle vous en a parlé?

— Oui. Ces choses là nous marquent plus qu'on ne saurait croire. Je voulais la garder dormir avec moi.

— Dormir?

— J'ai bien dit dormir. Elle a hésité, et je n'ai voulu ni la brusquer ni surtout la blesser. Je ne l'ai tenue dans mes bras que le temps d'un baiser, mais je vous avoue aujourd'hui que parfois je vous en veux, Jean-Claude, d'être venu... C'est alors que, jour après jour, j'ai suivi chez elle le changement: femme amoureuse d'abord et puis aimée, totalement aimée.

— Mais Danielle dans tout ça?

— Danielle est pour moi une petite fille. Elle a dix huit ans. J'ai l'impression que je la protège.

— Êtes-vous sûre de ne pas lui faire du mal?

— Je ne le crois pas. Je lui fais peu à peu oublier le maladroit ou le salaud qui l'a prise la première fois, alors qu'elle n'avait pas seize ans, et qui l'a laissée enceinte. Heureusement de nos jours on arrive à se débrouiller, mais imaginez le scandale dans sa prude famille!

— Venez en au fait Katia.

— Thierry aime Caroline. Elle vous en parlera, j'en suis persuadée. Elle est trop franche, trop directe pour vous cacher cet aspect de sa vie. Mais il a besoin d'elle. Il y a entre eux une infinie tendresse qui compense pour lui, le départ de son père et une certaine indifférence de sa mère. Pour rien au monde il ne faudrait qu'il sache.

— De toute façon Caroline aurait pu se marier, avoir une liaison sérieuse.

— Elle l'a.

Cloué par ces derniers mots comme à un pilori, je ne savais que répondre. D'autant plus que Katia continuait de me dépeindre le genre de relation, assez curieux, qui existait entre ma jeune maîtresse et son jeune cousin. Révélation surprenante: il dormait parfois chez elle. Or, chez elle, j'étais bien placé pour le savoir, il n'y avait qu'un divan-lit! Mais ce qui avant tout m'intriguait c'était ce genre d'attachement de Thierry pour Caroline, et que Katia me décrivait comme vital pour lui.

— Si je me suis décidée à vous en parler, ce n'est que pour aider Caroline à vous en parler elle-même. Elle a dû y penser, croyez-moi, et n'a pas osé tout de suite.

— Elle ne vous a pas chargée de le faire?

— Évidemment pas!

— Voyez-vous Katia, je comprends fort bien qu'il y ait entre eux, depuis longtemps, un lien très fort, très tendre même, mais la vie, l'avenir de Caroline ne peut être hypothéqué par les fantasmes amoureux d'un gamin de dix-sept ans!

— Je sais. Mais il y a parfois dans la vie des situations plus fortes que nous et qui nous dominent.

— Caroline est libre d'agir, d'aimer, de sortir à sa guise.

— Oui, mais elle ne peut rejeter Thierry tout d'un coup. Du moins pas pour le moment, alors qu'il sort d'une grave dépression.

— Caroline vous a-t-elle parlé de moi... enfin, de nous?

— Non. Mais vous pouvez lui faire part de notre rencontre et de notre conversation. Je vous le répète: ce n'est pas dans son dos que je vous révèle ce fait. C'est parce que je pense vous aider l'un et l'autre.

Pendant plusieurs jours, les propos de Katia tournèrent dans ma tête comme un carrousel de chevaux mal dressés. Je n'arrivais pas à tout comprendre; ni pourquoi Caroline ne s'en était pas ouverte à moi dès le début. Qu'y avait-il entre eux exactement? Katia avait dû exagérer. C'était dans sa nature et je me persuadais que tout cela devait se ramener à un penchant très normal d'un petit cousin pour sa grande cousine. Un détail toutefois, me revenait et s'imposait à moi. Il m'avait frappé lors de la soirée chez Sophie: c'était leur façon de se tenir la main, et je revoyais les doigts de Thierry jouant lascivement avec ceux de Caroline. D'ailleurs, n'avaient-ils pas disparu ensemble, un long moment? Et lorsqu'elle m'avait rejoint dans ma voiture, elle m'avait dit impérativement en claquant la portière: «Vite, partons.»

C'est moi maintenant qui bâtissais tout un roman autour de faits insignifiants. C'était risible et même ridicule. J'étais ridicule et le ridicule tue, dit-on! Alors je refusais de me prendre au sérieux et je chassais tout cela de mon esprit comme on balaie des coupures de vieux journaux. Mais non! j'étais vraiment amoureux et, pour m'en convaincre, le petit dieu malin lançait dans mes chausses, comme un roquet hargneux, les premières morsures de la jalousie.

Noël approchait. Nous avions l'habitude tous les ans, de quitter Montréal et d'aller passer une bonne semaine au chalet de nos amis Tanguay. De vieux et solides amis. C'est lui qui avait décidé de ma carrière universitaire alors que je me destinais au notariat.

— Notaire, toi! Aucun bon sens! Tu te vois en train de grignoter de grises paperasses comme un rongeur anémique?

(Notre ami était célèbre dans notre cercle, pour l'humour imagé de ses termes.)

— J'ai des parents notaires à Trois-Rivières; ils ne sont ni rongeurs ni anémiques!

Bref! je devais être, à cette époque, influençable: j'ai suivi toute la filière habituelle dans les Lettres et, par amour de deux ou trois belles dames de l'Histoire, je me suis amusé à prendre une licence dans cette discipline.

Madeleine Tanguay était l'imposant contraire de son mari! Autant il était petit et bâti comme une planche à repasser, autant elle était plantureuse et souriante. D'un excellent caractère, d'une humeur toujours accueillante et serviable — ce que contestait monsieur qui nous répétait sans cesse «c'est une fausse-douce»! — nous l'adorions et d'ailleurs nous les aimions tels qu'ils étaient car les jours de vacances auprès d'eux se déroulaient dans la gaîté et le repos.

Madeleine, qui avait dépassé la cinquantaine de deux ou trois ans, était véritablement pour moi plus qu'une amie: une confidente. Elle me connaissait «comme si je t'avais tricoté» me soufflait-elle, et je ne lui avais pas caché certaines de mes galantes aventures.

— Tu peux faire ce que tu veux, me répétait-elle souvent. On peut admettre qu'un poète ne peut trouver l'inspiration dans un seul être… je le comprends très bien. Et tu as cette chance que Lydia le comprend dans une certaine mesure. Mais tu n'as pas le droit de faire de la peine.

Pour la centième fois peut-être, Madeleine me sermonait sur ce sujet. Nous nous étions éloignés du chalet, tous les deux, sur le petit chemin tout juste dégagé qui conduisait à la route de service. Or, la légèreté plaisante et habituelle de ses paroles, je m'en rendis compte immédiatement, avait fait place à un ton plus sérieux, presque grave. Je m'arrêtai et la regardai. Elle ne fit rien pour éviter mon regard.

— Qu'est-ce qu'il y a Madeleine?

— Ce serait à moi à te poser la question.

Pas d'échappatoire avec elle. Mon silence est un aveu, mais… comment a-t-elle pu savoir?

— Jean-Claude, on ne va pas jouer au chat et à la souris tous les deux. Voilà: Lydia n'est tout de même pas assez niaise pour croire continuellement à des… fatigues aussi prolongées. Tu vois ce que je veux dire.

— Ne me dis pas que ça lui manque!

— Toi, ne me dis pas de bêtises. Même si elle n'a jamais été dans le peloton de tête elle est une femme, et ce qui plus est, ta femme. Alors, conclus.

— Qu'est-ce qu'elle t'a dit?

— Écoute, la fatigue... ça marche une semaine ou deux, mais pas un ou deux mois. Elle te connaît tout de même! De là à déduire que tu as quelqu'un dans ta vie, il n'y avait qu'un pas.

— Et elle l'a franchi.

— Je te répète que c'est ta femme et qu'elle est normale. Allez, Jean-Claude, à ton tour d'expliquer.

Je lui ai pris le bras. Je me sentais soudainement vieux, lourd, inutile. Mon coeur était noyé d'amertume et battait dans le vide. Je mis mes lunettes noires tant le soleil et la neige saturaient l'air d'une réverbération insoutenable. Je pensais à Lydia, à ses silences résignés, et je me dégoûtais pour cet égoïsme que je m'excusais cependant avec une si facile indulgence. Les paroles de mon fils me poursuivaient comme la voix de l'Ange: «Nous comprendre c'est te justifier», et certains regards de ma petite Hélène surgissaient au coeur de mes ombres avec leurs rayons d'amour qui se muaient en autant de reproches. Il n'y avait donc qu'une solution possible.

— Ah! Madeleine, je voudrais pouvoir me changer.

— Il n'est pas question de te changer Jean-Claude. Tu as prouvé dans ton travail que tu avais du sérieux et de la volonté. Tu as un bon fond, je le sais, et tu souffres intérieurement autant que ceux que tu fais souffrir. Jusqu'ici...

— Jusqu'ici je ne l'avais pas rencontrée.

— Quel âge a-t-elle?

— Vingt-trois ans. Je sais... c'est fou.

— Tu aurais pu éviter de le laisser comprendre à Lydia. Maintenant elle se doute.

Si elle ne faisait que se douter, c'est qu'elle ne savait rien de précis. Et ce n'était pas la première fois. Il suffirait de me forcer à... Je reprenais espoir. Je revenais une fois de plus à ce qui me convenait c'est à dire à une satisfaction propre. Et pourtant, dans cette aventure, il y avait cette fois un amour vrai comme la vie. Un amour qui n'avait pas assez de mon coeur pour s'affirmer et s'épanouir. Où était la vérité? Pour n'écouter que les voix du bonheur, je m'accordais toutes les circonstances qui n'ont jamais rien atténué.

Nous nous étions quittés depuis quatre ou cinq jours, et le désir de revoir Caroline, de la revoir encore avec moi, sous mon corps, attentive et perdue, me reprenait comme une fièvre subite et inguérissable.

Je savais qu'elle passait ses vacances seule. Et l'idée d'une présence de Thierry me devenait insupportable. C'est moi qui réagissait comme un gamin. Katia avait raison. Caroline voulait tout m'expliquer. Lors de notre dernier rendez-vous, alors que je la quittais, elle m'avait mis une enveloppe dans la main.

— Je te demande de lire ces deux pages avec beaucoup de compréhension. Si tu veux en parler après, fais le comme moi, par écrit. Il y a des mots que je ne saurais pas te dire.

Tout ce que Katia m'avait laissé pressentir se trouvait confirmé par Caroline. C'était vrai, depuis toujours une tendresse particulière liait les deux cousins. L'habitude de dormir ensemble, quelquefois, venait de leur enfance lorsqu'ils se trouvaient chez une tante qui n'avait qu'un lit à leur offrir. Mais jamais rien de trouble n'était venu altérer cette affection profonde. Séparés pendant plusieurs années, ils s'étaient retrouvés au moment où de graves difficultés familiales étaient venues perturber le foyer de Thierry. Tout naturellement il s'était raccroché à sa cousine parce qu'elle était la seule à savoir l'aimer et à l'éclairer dans ce tunnel dont, aujourd'hui, il sortait à peine.

Je n'avais rien répondu et cela me tourmentait car, de son côté, j'étais sûr que depuis cette lettre elle vivait dans une angoisse permanente. Il me fallait la voir, la rassurer, lui dire encore mon amour et retrouver dans ses bras cette joie sans nom et sans limite où s'abolissent l'espace et le temps. Il me fallait absolument trouver une raison pour descendre à Montréal.

C'est Lydia elle-même qui, par le plus grand des hasards, m'en donna le moyen. (Le hasard n'a-t-il pas toujours servi l'amour?) Égaré dans un paquet de journaux et de revues, elle venait de trouver une invitation envoyée par le théâtre du Rideau Vert pour la nouvelle pièce d'Antonine Maillet. Il était près de six heures et nous allions passer à table. Or l'invitation était pour le soir même.

— Dommage, dit-elle aussitôt, une invitation de perdue!

— Pas question de la perdre! Il faut y aller. Une pièce d'Antonine Maillet ne se manque pas.

— Mais c'est pour ce soir je te dis!

— Aucune importance! Si tu ne veux pas venir, moi j'y vais.

Moins d'une demi heure plus tard nous roulions vers Montréal après avoir complètement effaré nos amis et les enfants qui, eux, voyaient dans cette fuite soudaine pour une soirée au théâtre, la preuve de notre éternelle jeunesse! J'aurais préféré être seul, c'est évident, mais je laissai les événements décider. Ce qui ne m'empêchait pas d'échafauder des plans aussi extravagants les uns que les autres. De toute manière il me serait facile d'appeler Caroline du Théâtre et de lui parler. Au moins cela : lui parler, lui faire savoir que j'étais là pour me sentir plus près d'elle, plus près de son amour. Et puis, connaissant son admiration pour notre grande Acadienne, peut-être serait-elle dans la salle. Et je priais la chance le plus païennement qui se puisse prier!

La foule des premières se pressait aux guichets. Chacun retirait les billets nommément réservés et je dois dire que je ne déteste pas ces remous, cette agitation en réalité beaucoup moins mondaine qu'on ne l'imagine, surtout au théâtre de la rue Saint-Denis. Il y règne une atmosphère de sympathie complice et bon enfant. On arrive à se reconnaître sinon à se connaître, et l'originalité de certaines tenues fait bon ménage avec la rigueur de certaines autres. Les directrices, le plus souvent, vous accueillent et se mêlent en toute simplicité à leurs hôtes. J'ai depuis toujours une profonde admiration pour Yvette Brind'amour. Pour son talent d'abord, mais aussi pour l'exigence, la haute tenue de ses programmes, la qualité des mises en scène et le choix des acteurs. Nous avons chez nous, au pays, de grands acteurs dont la culture, l'expérience, l'amour du métier n'ont rien à envier aux autres pays francophones. On ne le sait pas assez, et les jeunes qui montent dans cette profession — la plus belle de toutes — devraient prendre de la graine et ne pas simplement se fier à «l'improvisation de l'immédiat», comme tentait de me l'expliquer un de mes étudiants farfelus. Si l'on excepte la commedia dell'arte (et encore! quelle expérience des planches n'exige-t-elle pas!) le théâtre est le contraire de l'improvisation anarchique.

Quelle force magique attire comme des aimants les êtres qui s'aiment? Sans l'avoir vue, j'avais senti sa présence en entrant dans la salle. À la même seconde elle tournait son regard vers l'entrée, et à la même seconde nos coeurs se croisèrent dans la double impatience qui les firent frémir. Vite on nous indiqua nos places. Le spectacle commençait. Près de Caroline, j'avais eu le temps d'apercevoir Thierry.

Heureusement la pièce d'Antonine Maillet accapara tout mon esprit, et je reconnus avec la même joie fervente, les personnages et le parler de cet univers acadien dont une femme a su retrouver l'âme inchangée, fière et fidèle, pour nous la rendre dans une «geste» qui traversera le temps.

Je redoutais l'entracte. Nous allions sortir et, pour la première fois, Caroline et Lydia se rencontreraient. Ma femme m'avait déjà vu avec des étudiants et des étudiantes dans des réceptions à l'université, et même si j'avais eu droit à quelques sous-entendus plaisants, il n'y avait rien là qui prêtât à conséquence.

Avec Caroline j'étais inquiet. Lydia me connaît. Moins peut-être que notre amie Madeleine, mais elle connaît mes réactions, mes maladresses, mes outrances même, qui lui laissent comprendre que...

Il est vrai que le brouhaha de la foule entassée dans le hall d'entrée ou agglutinée devant le bar, ne permet qu'une conversation réduite à des banalités. Caroline et Thierry, bien sûr, n'avaient pu faire autrement que de venir vers nous, et j'avais réussi à être vraiment d'un naturel parfait. Je repris donc ma place, complètement rassuré sur cette rencontre.

À la fin du spectacle, en quittant le théâtre, je n'avais pu m'empêcher de me retourner plusieurs fois pour tenter d'apercevoir Caroline, mais c'est à peine si j'avais pu, très vite, deviner que Thierry lui prenait le bras pour la guider vers la sortie.

Au retour, sur la route, comme je restais silencieux, Lydia m'en fit la remarque:

— C'est la pièce qui t'a rendu songeur?

Je tentais alors de chasser de ma vue la dernière image que j'avais gardée de Caroline et de son cousin, mais elle s'imposait involontairement avec une force qui me faisait mal et je répondis sur un ton qui sonnait faux. Je m'en rendis compte et cela ne fit qu'accentuer mon énervement. Ma femme, au contraire, ajoutait, très désinvolte:

— Elle est bien ta petite étudiante.

Ce terme m'agaça.

— Elle n'est pas particulièrement MON étudiante! Mais une élève que je ne vois qu'une fois par semaine au Conservatoire.

J'avais répondu très vite, trop vite, maladroitement. Lydia, surprise par cette vivacité, me regarda sans un mot.

— En tout cas elle est très élégante. As-tu remarqué le bijou qu'elle portait? Nous avions vu le même chez Aird, en allant choisir la bague d'Hélène pour ses quinze ans.

À mon tour, je me contentai d'un vague «peut-être». Heureusement c'était la nuit, sinon, la brusque crispation de mes traits n'aurait pas échappé à Lydia. Le bijou que portait Caroline et qui, effectivement venait de la bijouterie Aird, était mon cadeau de Noël.

Je ne pouvais dormir. Une idée fixe était clouée en moi, et chaque minute ne faisait que l'ancrer davantage, au point de devenir une insupportable obsession. Par la force des choses, Caroline s'en était tenue à une stricte politesse et, de mon côté, je suis sûr que mon allure et mes propos s'en étaient ressentis. Enfin, il y avait Thierry. J'avais beau me répéter tout ce que je savais sur le genre de leurs rapports, je n'arrivais pas à m'en persuader complètement.

Il avait dû rentrer avec elle. Chez elle. Et il allait dormir à ses côtés. C'est très joli la pureté des intentions, jusqu'au moment où les intentions se précisent et bousculent cette pureté qui est elle-même aussi ambiguë que le sexe des anges.

Je pensai alors à prendre un somnifère. À quoi bon! Sans bruit je me levai. La nuit était d'une clarté métallique. Le froid semblait avoir paralysé le lac et la forêt. Je descendis à la salle de séjour. De grosses bûches achevaient de se consumer dans l'âtre construit en contrebas et auquel on accédait par deux marches circulaires. Je m'allongeai sur des coussins. Tout repos était inutile. Les pires images s'imposaient l'une l'autre dans un jeu de surimpression lancinante: Caroline... Caroline dans mes bras... Les lignes de son corps esquissées dans la pénombre... Et puis Caroline et Thierry, nus tous les deux, main dans la main sur une route perdue, dans un paysage inconnu, sous un ciel sans horizon...

Ce n'était plus tenable. Je me levai, m'habillai avec ce qui me tomba sous la main. Une sorte d'immense cape de berger pendait à l'entrée. De quoi aurais-je l'air? Rien n'avait d'importance hormis cette hantise: que faisait Caroline? Tout m'incitait à croire qu'elle partageait sa nuit avec un autre, et que cet autre soit un gamin de dix-sept ans m'importait peu. Je ne pouvais en supporter l'idée.

Fort heureusement, pour ne pas réveiller la maison lors de notre retour du théâtre, j'avais laissé la voiture sur le côté du chalet, face au petit chemin d'accès. Je n'eus qu'à desserrer le frein, mettre au neutre et pousser très légèrement pour imprimer un élan suffisant. Je sautai sur le siège et ce n'est qu'à l'intersection que je fis démarrer le moteur. Personne, j'en étais sûr, ne m'avait entendu.

Il était un peu plus de deux heures lorsque je sonnai chez Caroline. Elle ouvrit calmement sa porte. La lampe de chevet était allumée. Sur le lit à peine défait, un livre ouvert. Sur la table basse, deux assiettes, des petits gâteaux, une demi bouteille de champagne. Je restai cloué sur place...

— Tu es seule?

— Bien sûr, mon chéri. Je t'attendais.

Dans l'avion, le bar a fait place à la boutique hors taxes et le défilé commence pour le plaisir d'acheter, en plein ciel, le foulard ou le parfum dont on n'avait nul besoin!

Cette fois nous regagnons nos places, et j'ai l'impression que ce voyage, loin d'être un départ, n'est qu'un aboutissement. Ce n'est pas moi qui m'évade d'un pays, d'une ville, d'une famille. C'est mon passé qui recule, qui prend ses distances afin que je puisse me mesurer à ma nouvelle solitude.

Maryse n'a encore rien dit et je respecte son silence. Je ne regrette pas de lui avoir parlé avec autant d'abandon et de confiance. On sent chez cette femme une passion de vivre certes, mais un fond d'amertume, de désenchantement dont je n'aurai pas le temps de connaître les raisons profondes. Elle me regarde avec sérieux.

— Je ne sais si vous pourrez finir de tout me raconter. Mais je présume ce qui a pu arriver. Car pour vous attendre, ce soir-là, pour être absolument certaine que vous reviendriez, c'est qu'elle l'avait lu dans vos yeux ne serait-ce que l'espace d'une seconde, entre votre femme et son ami Thierry. Et ça...

Elle n'a pas terminé sa phrase, mais moi aussi je présume... Oui, c'était le commencement d'une double folie, d'une merveilleuse et mortelle folie. Maryse a si bien compris qu'elle poursuit seule le récit, comme si elle lisait en moi.

— Après il y a eu les rencontres de plus en plus fréquentes. Chez vous le désir de plus en plus exigeant d'une jeune femme que vous aviez révélée à elle-même.

— Bien plus que le désir.

— Et bien plus grave : l'amour. Vous savoir aimé. Vous l'entendre dire. Sentir s'affirmer avec elle, auprès d'elle, cette puissance d'inspiration qui vous soulève et vous fait écrire.

— Comment pouvez-vous, à ce point...?

— Je vous dirai un jour, si nous nous revoyons. Sachez seulement que pendant de longues années, j'ai partagé, à Montréal, la vie d'un auteur très connu. Il écrivait surtout pour la radio et la télévision. Personne ne peut comprendre ce que sont les tourments de la création littéraire.

— Plus encore en poésie.

— Je le crois.

Et Caroline m'inspirait des vers comme jamais encore je n'avais su en écrire. Une force nouvelle m'habitait, mais cette force ne prenait vie que dans les bras de ma jeune maîtresse, que dans les angoisses, les doutes, l'insoutenable attente de nos séparations.

J'avais eu avec ma femme plusieurs explications orageuses. «Je voudrais tout de même connaître ma rivale» me répétait-elle. Mais comment lui expliquer qu'il ne s'agissait pas d'une rivale. Une rivale implique l'idée d'égalité et c'est pourquoi, un moment, Lydia se mit à surveiller ses meilleures amies. Mon fils, en revanche, n'était pas dupe de mes manigances, de mes prétextes pour m'inventer toujours soit des réunions, soit des causeries, soit des présidences de jury. «Tu me donnes envie de faire Psycho», m'avait-il lancé un jour, en riant! Et comme je lui demandais pourquoi, sa réponse ne pouvait être plus naturelle:

— Pour tenter d'expliquer les états d'âme du poète lorsque je ferai une étude sur ton oeuvre.

Nous nous étions amusés tous les deux de cette réflexion, mais je sentais bien que sa pensée allait au delà des mots inoffensifs.

En classe, par contre, tout se déroulait normalement. Je parvenais à dominer mon émotion lorsque Caroline arrivait, s'installait à sa place, s'efforçant elle aussi au plus grand naturel. Lorsque je corrigeais ses travaux écrits, je prenais un singulier plaisir à les annoter de façon très pointilleuse, et lorsque j'arrivais chez elle, je trouvais la copie épinglée au mur de son studio avec une note pour ma correction!

Katia ne m'avait jamais plus reparlé de Thierry et de Caroline. Sa sympathie à mon égard continuait à se manifester dans sa participation aux cours et dans son comportement général. D'autre part, l'attitude de Sophie m'inspirait une véritable admiration. Sous une apparence désinvolte et amusée, sans cesser de jouer les boute en train, elle assumait seule, dans le secret de son coeur, sa première peine d'amour. Aucun de ses camarades ne s'en doutait. Il avait fallu la perspicacité émotive de Katia pour saisir l'insaisissable. Mais j'avais intercepté, moi aussi, entre Sophie et sa vérité intime, de brusques silences et des regards où s'oubliait un instant tout le chagrin du monde.

Thierry savait-il? Certainement pas, même si dans ce milieu nouveau pour lui, il commençait à sortir de sa coquille et à s'intégrer de plus en plus. Tout ce qu'il y avait en lui d'élan amoureux était tourné vers sa cousine et, indépendamment de ma liaison personnelle, je voyais là une sorte de suicide moral où toutes les richesses sentimentales de sa jeunesse finiraient par se fondre dans une obsédante insatisfaction.

Je m'en ouvris franchement, un soir, avec Caroline.

— Involontairement tu lui fais du mal.

— On se fait tous du mal... involontairement.

— Je ne parle pas avec jalousie Caroline, je te le jure, mais tu ne penses pas faire ta vie avec lui?

— Je ne sais avec qui, maintenant, je pourrais la faire, ma vie.

— Tu réponds à côté.

— De toute façon, Thierry se doute bien qu'il y a quelqu'un dans ma vie.

— Mais c'est ton droit après tout! Tu ne lui dois pas des comptes à ton petit cousin!

— Ne t'énerve pas mon chéri. Tu sais très bien de quelle manière j'aime Thierry, et de quelle passion je vous aime, vous, monsieur mon amant.

En plus de tous ses dons, Caroline possédait celui de me désarmer dès qu'une ride de souci plissait mon front, dès qu'une ombre de contrariété voilait mon regard.

— Reviens à nous... rien qu'à nous, mon amour. C'est cela seul qui compte.

Et nous vivions alors des minutes d'une telle intensité que je me demande aujourd'hui comment j'ai pu me plier dans le carcan des conventions et des convenances, comment j'ai pu la laisser partir, comment j'ai eu cette lâcheté de ne pas aller jusqu'au bout de ce grand poème que nous écrivions ensemble à chacune de nos étreintes, dans le rythme exalté de nos corps et de nos coeurs. Je jugeais froidement les dangers d'une attitude comme celle de Thierry, mais je me refusais à approfondir ceux, bien plus graves, qui cernaient l'avenir de Caroline. Elle avait accepté la situation telle qu'elle était. Jamais une remarque, jamais une plainte, mais nous avions l'un et l'autre une sensibilité trop à fleur de peau pour ne pas lire un regard, pour ne pas traduire un silence.

Une réflexion à première vue banale, m'avait laissé deviner la joie qu'elle aurait de sortir une fois avec moi. Et je la comprenais. Ses amies allaient parfois au restaurant. Katia et Danielle ne manquaient presque jamais une première ou la sortie d'un grand film. Caroline, elle, attendait... et c'était toujours pour rester enfermée, pour ne pas se faire voir. Son bonheur était réel, mais il manquait de soleil et de pluie, de bruit et de foule, de campagne et de rues.

Peu avant Pâques, je reçus une invitation de l'Université de Saint Louis du Missouri. Une amie de longue date, titulaire d'une chaire de littérature contemporaine, avait avancé mon nom pour me faire présider une rencontre des «Poètes d'expression française en Terre

107

d'Amérique». J'avais immédiatement accepté, car ces journées correspondaient au congé que nous allions avoir. Les journaux en parlèrent, et le lundi précédant mon départ, en fin de classe, Thomas, avec sa bonhomie naturelle, vint m'offrir ses services comme garde du corps!

— Vous savez monsieur, Saint Louis, c'est pas Montréal. Vous devriez m'embarquer avec vous!

Je remerciai Thomas pour sa courageuse proposition et le rassurai pleinement sur les hypothétiques dangers que je saurais sans doute éviter.

Lorsque je quittais le Conservatoire, après un cours, je ne pouvais m'attarder sachant que j'étais attendu chez moi pour le repas, mais Caroline, lorsqu'elle arrivait à éloigner Thierry, s'arrangeait toujours pour être la dernière à sortir. Nous nous disions un rapide au revoir après avoir décidé d'un rendez-vous.

Ce lundi là, sous un sourire pas assez convaincant, elle ne put me cacher sa lassitude et sa tristesse. J'étais devant elle, sans un mot, comme devant un puits où serait allé se briser quelque chose d'unique, d'infiniment précieux. Et je n'avais pas besoin de chercher ou de questionner, pour comprendre les raisons de cette désolation intérieure, violente comme une lame de fond. Une idée s'imposa alors à mon esprit. Si soudaine et si normale que j'en pris prétexte pour mystifier un peu mon étudiante morose!

Elle venait de me poser une question :

— Je te vois avant ton départ?

— Tu sais... je dois revoir toute ma documentation. Préparer un petit discours d'entrée. Et puis... m'occuper des billets...

— Des billets? Tu ne pars pas seul?

— Non.

Un silence que je laisse se prolonger pour mieux ménager l'effet qui va suivre. Nous avançons dans le couloir. Et sans me regarder :

— Je vais aller passer ces quelques jours à Chicoutimi.

— Non.

— Comment, non?

— Non, ce n'est pas possible, Tu ne peux pas aller...

Je me suis arrêté. Nous sommes seuls et j'allonge mon bras sur son épaule.

— ... à la fois à Chicoutimi et à Saint Louis!

Je n'ai pu esquisser aucun geste... Caroline m'a sauté au cou. Mais vraiment! et avec une telle force que mes papiers sont allés valdinguer à plusieurs pas.

— Chérie... Chérie, je t'en prie...

Heureusement, à cette heure-ci, il n'y a personne. Nous tournons à droite vers l'escalier. Assis sur la première marche Thierry nous regarde...

— Caroline, je t'attendais pour aller au restaurant.

Nous approchons des côtes de l'Europe. Le commandant de bord vient de nous annoncer que, aidés par des vents bénéfiques, nous gagnerons probablement près de dix minutes sur le temps prévu. Le jour s'est levé. Et voir se lever le jour, dans un Boeing, entre Montréal et Paris, est un spectacle qui peut à peine se décrire. C'est d'abord un soupçon de clarté, comme une très lointaine vibration musicale, puis lentement, très lentement les couleurs entrent en jeu sur la gamme infinie de l'horizon. Et puis... c'est grandiose, à l'échelle de cette scène sans limite qui s'appelle le ciel et qui, par temps clair, se double sur le scintillant tapis de l'océan.

On va nous servir un petit déjeuner français. Je suis donc en France, déjà, et je vais devoir m'adapter à une forme d'existence nouvelle, à des horaires différents, à des rapports humains au premier abord plus difficiles que chez nous. Je vais devoir surtout m'habituer à vivre seul, pendant près d'une année, à moins que Lydia ne vienne me rejoindre avec Hélène à la Noël. Mais si cela arrive, je n'ai à me faire aucune illusion : ce sera un geste de prudence bien plus qu'une preuve d'amour.

Quant à Caroline, son dernier appel de Vancouver remonte aux premiers jours de ce mois d'août. Elle avait su par Katia la date de mon proche départ et elle avait pris la chance de m'appeler chez moi. Je m'y trouvais seul. Nous avons parlé très peu de temps. Trop peu de temps... Chacune de ses paroles reste inscrite dans mon souvenir, douloureusement, comme ces plaques gravées, que l'on déchiffre avec lenteur, sur les vestiges du passé...

Ce qui m'avait surpris, c'est la différence de ton avec le premier coup de fil où Caroline me mettait devant le fait accompli de son départ. Autant elle avait été décidée dans ses paroles, catégorique même dans son refus de m'écrire ou de me laisser lui écrire, autant cette fois je ne savais comment interpréter le sens profond des paroles que je venais d'entendre :

— Nous avons abandonné ce grand amour comme on se débarrassait, autrefois, dans une forêt, d'un enfant dont on avait honte.

110

Je n'avais su que répondre, paralysé par une émotion qui ressemblait plutôt à cette honte évoquée. Et Caroline avait ajouté :

— Qui de toi ou de moi aura le courage ou la simple franchise de s'avouer que c'est fini... bien fini? Pour moi, j'en suis incapable.

— Ne retombez pas dans le noir de vos pensées, monsieur le professeur.

Maryse a posé sa main sur la mienne pour me rappeler à la réalité. Elle me sourit.

— Ce n'est pas le moment de ressasser ce que vous avez jugé impossible, vous ne croyez pas? En revanche, je voudrais bien en savoir plus long sur le voyage à Saint Louis!

Un enchantement. Ce fut un enchantement de chaque minute. J'étais le professeur Jean-Claude Mazerolles partant présider un important congrès aux États-Unis et j'avais pleine conscience de ce que représentait cet honneur, cette confiance, cette responsabilité aussi. C'est peut-être la raison pour laquelle je ne m'étais jamais senti aussi sûr de moi, avec l'exacte perception de mes facultés dont il m'arrivait d'analyser le mécanisme encore rapide, efficace, jeune.

Il y avait chez moi ce côté raisonnement, que je me reprochais comme un accès d'orgueil, mais qui m'aidait aussi, bien souvent, à surmonter ces états de dépression, de cafard, de doute, où sombre tout poète. En contrepartie, j'étais ce poète libre d'inventer des mondes et des ciels, des rêves et des larmes; libre de vaincre le temps et la mort avec de simples mots. Domaine sans analyse, mais où s'exaltaient mes aspirations les plus vives, les plus secrètes, les plus indispensables à mes écrits et à ma vie. Et ça, c'était l'amour de Caroline qui en décuplait la puissance jusqu'au point qu'aujourd'hui encore je me refuse à appeler «folie»!

Ce voyage avec elle en était-il une? Pas forcément. Et s'il fut à l'origine de tous les graves ennuis qui surgirent par la suite, c'est à un enchaînement de situations et de rencontres imprévues qu'ils incombent, plus qu'au fait même d'être partis à deux et d'avoir voulu unir, dans ces heures d'évasion, le travail et l'amour.

L'aspect le plus délicat résidait dans le départ. Lydia avait tenu à me conduire à l'aéroport et, même si elle n'avait aperçu Caroline qu'une seule fois parmi le public du théâtre, il valait mieux éviter toute rencontre. Je rejoignis donc Caroline dans l'avion. De nombreuses places restaient inoccupées, et le plus naturellement du monde, je vins m'asseoir à côté de cette jeune femme charmante qui, en retirant ses journaux et son sac du siège voisin, m'accueillit avec un très cérémonieux:

— Je vous en prie monsieur…

— Merci, Mademoiselle. Vous allez loin?

— Question étrange, puisque le vol est direct jusqu'à Chicago. Et vous monsieur?

— Comme c'est curieux! Moi aussi je vais à Chicago.

— Pour affaires?

— Heu… oui, mais… chut! «Love Affair».

— Ah! très intéressant. Et… vous êtes seul?

— Pas pour longtemps. Et vous? Seule?

— Pas pour longtemps aussi.

— Vous allez retrouver quelqu'un?

— Je vais retrouver mon amant.

— Il doit vous adorer!

— Vous croyez?

— Oui mon amour, il vous adore.

Nous aurions pu continuer ainsi indéfiniment ce jeu que de doctes collègues eussent qualifié d'enfantillage! Il faut avoir été aussi merveilleusement amoureux pour comprendre ce que de simples paroles représentent comme poids de bonheur quand on n'a qu'à les lire dans le regard aimé.

À Chicago, deux heures d'attente avant de repartir vers Saint Louis. Nous avions le temps de nous promener dans cet immense aéroport où des foules ne cessent de se succéder, de se croiser, de se perdre, dos à dos, entre les routes de la pollution et celle des nuages.

Je n'avais pas lâché la main de Caroline, heureux de la voir heureuse. Premières vacances... Premier voyage... Je partageais avec elle la plénitude de sa joie. Et pourtant je ne pouvais me défendre d'un sentiment complexe qui m'empêchait d'y participer sans nulle arrière pensée. C'était indéfinissable mais c'était là... Une vieille connaissance qui, depuis mes seize ou dix-sept ans, n'avait cessé de se rappeler à moi dans des circonstances précises. Était-ce une sorte de remords ou de muet reproche devant des pensées ou des actes que mon inconscient condamnait? Était-ce plutôt les indéracinables notions de morale et de religion qui s'agitaient encore dans les régions mal définies de la mémoire? Je ne saurais dire, mais ces brusques et passagers remous me laissaient un arrière goût d'amertume et de repentir.

À Saint Louis nous étions attendus. J'avais téléphoné à mon amie Monique pour lui indiquer l'heure de mon arrivée, et sans aucune gêne lui avais précisé que je ne venais pas seul. «Aucun problème, m'avait-elle répondu, je dirai que tu es là avec ta secrétaire.» Le premier contact fut chaleureux. Monique est une femme d'une vive intelligence et d'un réel talent. Nous avons le même âge et nous nous étions rencontrés, il y a une quinzaine d'années, à la Sorbonne, en stage de perfectionnement, dans le cours du professeur Célier.

Dans l'hôtel qui logeait les congressistes, elle avait réservé deux chambres voisines et je revois encore Caroline, gaie comme une collégienne, essayant d'ouvrir la porte de communication.

— Rien à faire ma chérie... Tu passeras par le couloir!

— Non monsieur! N'oubliez pas que je suis votre secrétaire et qu'en dehors des heures de travail...

Elle n'avait pu achever. Je l'avais saisie dans mes bras avec une fougue de jeune garçon (c'est du moins ce qu'elle m'affirma par la suite!) et dans le même élan, renversée sur le lit. Un désir d'elle immédiat, sans retenue, sans rien des préludes auxquels je l'avais habituée, un désir presque brutal m'avait jeté sur elle et, nerveusement, après avoir simplement relevé sa robe, sans même lui laisser ôter cette petite hypocrisie qu'on appelle slip, culotte, bikini et mini quelque chose, je la caressai avec une sorte d'avidité sauvage d'où montait déjà un incontrôlable plaisir.

La surprise passée, Caroline se prêtait aux caresses de mes doigts avec la même fougue, le même violent désir.

— Oui... Oh oui!... Continue mon amour... Encore, oui... Oh! je t'aime, je t'aime...

À mon oreille, son cri prolongé résonna tel un écho dans tout mon corps, et comme je m'effondrais à mon

114

tour dans le flot de ses cheveux, elle me prit le visage et me força à la regarder.

— Non... Laisse-moi te voir... te voir maintenant mon chéri... Maintenant... t'entendre...

Quel est l'écrivain qui a appelé ces fragiles secondes «la petite mort»? Je ne saurais le dire, mais je me souviens d'être resté un long temps — une minute, une heure, qui sait? — tout un long temps de ma vie, sans bouger, mon corps encore retenu par son corps, mon coeur à l'écoute de son coeur, avec, dans ma tête, l'air et les paroles d'une chanson romantique:

«On voudrait mourir
Lorsqu'on est heureux...»

Le congrès fut une réussite. Monique en avait été non seulement l'âme, mais l'impeccable organisatrice. Mon discours d'entrée, qui ne se voulait pas un discours mais un vibrant appel à une fraternité plus active et plus généreuse entre les poètes du monde, fut immédiatement imprimé et distribué à tous les participants. J'en étais fier bien sûr, mais pas pour moi. Ou alors je l'étais à travers Caroline qui était là, quelque part au milieu de tout ce monde, et qui vibrait, je le savais, au seul prononcé de mon nom. J'étais fier de la savoir fière de son amant parce qu'elle ne pouvait ignorer qu'en m'apportant la jeunesse de son amour, elle avait chassé les brumes mélancoliques de mes premiers automnes. Mon inspiration prenait un nouvel élan, redécouvrait une fraîcheur vivifiante, et le poète n'avait plus qu'à se perdre dans toutes les généreuses illusions d'un printemps retrouvé.

Bien entendu, je n'avais pu — et n'avais pas voulu éviter tous les collègues et confrères qui, comme moi, avaient fait le voyage de Saint Louis. L'un deux, Gaston Labrault, s'était mérité une ovation en soulignant le rôle de plus en plus essentiel que les poètes devraient jouer dans la vie culturelle et sociale de leur nation. Il avait invité les congressistes à penser au Québec pour la prochaine rencontre.

C'est donc dans une euphorie joyeuse et bruyante que se clôturèrent ces trois journées. «Je n'oublierai jamais un tel bonheur» m'avait dit Caroline au moment où nous allions quitter l'hôtel. Et moi je ne savais plus que lorsqu'on le laisse trop haut, le bonheur, il risque d'être saisi de vertige comme un funambule qui ne saurait ni avancer ni reculer. Dans l'avion du retour, déjà, commença l'inévitable.

Il faut dire que Jeanne Beauchard était difficile à éviter. Journaliste par intermittence, s'occupant de tout et de rien, mais d'abord de sa chronique des «petits potins» dans un quotidien montréalais, elle traînait dans toutes les réunions, rencontres, cocktails ou autres vernissages, un sourire acidulé qui faisait dire au mari de Madeleine : «Ses petits potins sont du menu crottin»!

Comment avait-elle réussi à se faire inviter à Saint Louis? Mystère. Mais elle y était. Pire encore: c'est la première personne sur qui tomba mon regard en prenant place dans l'avion du retour. Heureusement elle n'avait pas les yeux tournés vers moi car elle aurait vu, sans erreur possible, une déception rageuse crisper mon visage. Je devrais dire plutôt rage attristée parce que, pour rentrer à Montréal avec Caroline, pour profiter jusqu'au bout des dernières heures de notre escapade, j'avais eu l'idée de réserver nos places, non plus dans l'avion de Chicago, mais dans celui de New York. Ainsi, au milieu de gens inconnus, nous n'étions qu'un couple comme les autres, sans contraintes et sans complexes. Avec cette dangereuse pimbêche, même si elle se trouvait à quelques rangées devant nous, il faudrait se surveiller.

116

Il était fatal qu'un jour ou l'autre je sois vu avec Caroline. Notre liaison, je le sentais bien, devenait à ce point exigeante et possessive qu'elle ne pouvait continuellement demeurer secrète. J'y avais songé, j'avais essayé de me raisonner, d'endiguer cet envahissement incontrôlable et comme hypnotique qui arrivait même à me gouverner, mais sans pouvoir — ou sans vouloir — y parvenir. On a beau vivre dans une société dite libérée, il y aura toujours des situations qui seront des scandales.

Le plus grave est que j'en avais conscience, que la mollesse de ma volonté présente freinait toute sage décision, et surtout, que j'entraînais avec moi dans cette aventure sans issue, une jeune femme qui en resterait marquée.

Dans quelle mesure cette attitude d'égoïsme, que je ne cessais intérieurement de me reprocher, n'était-elle pas une attitude de provocation? Qui peut répondre? Qui peut reconnaître toutes les complexités de nos comportements intimes? À plusieurs reprises, dans les réceptions qui s'étaient succédées au cours du congrès, j'avais présenté Mademoiselle Tremblay comme étant ma secrétaire. Pourquoi ne pas avouer que je ne m'étais senti nullement gêné, mais au contraire secrètement fier, lorsqu'un «Ah!» admiratif et envieux soulignait une pensée beaucoup plus ambiguë!

Et même dans cet avion qui traversait une moitié des États-Unis, ce n'était pas le fait qu'une semi-journaliste puisse me surprendre avec ma maîtresse qui m'importait, c'est ce qu'elle allait en faire pour tenter de nous nuire. À Saint Louis, nous l'avions évitée je ne sais comment! Mais elle était certainement au courant d'une présence à mes côtés. Ici, ou elle nous avait repérés et attendait son moment, ou alors, au cours du voyage, simplement en se retournant, elle nous apercevrait.

C'est bien ce qui arriva. Car elle se précipita alors vers nous, toute effervescente, toute plaquée de sourires, agitant ses poignets où tintinnabulaient de puissants bracelets. Cette quincaillerie était depuis longtemps célèbre dans le Tout-Montréal. «Pas possible, elle les achète au poids», disait-on. Mon ami Tanguay avec son humour précis, avait trouvé mieux. Comme Madeleine plaisantait: «Tu me vois avec des bracelets pareils?», il avait répliqué: «Dis plutôt des menottes!».

Cette dernière réflexion me vint à l'esprit au moment où elle nous tendait la main, et je dus faire un effort pour ne pas pouffer de rire. Une chance n'arrive jamais seule! À côté de Caroline, un siège était libre. Elle s'y engonça. Et alors là... je ne sais ce qui me prit, mais pour désarmer d'avance d'insidieuses questions, je me lançai tout de suite dans une sorte d'improvisation farfelue où je mêlai le mariage de mon ancienne secrétaire, la jalousie maladive du mari de la nouvelle, mes considérations sur les à-côtés du congrès, l'impact de la communication révolutionnaire de Gaston Lebrault sur la pollution de nos lacs, et celui de l'extraordinaire «présence» de Jean-Paul II sur les écrans et sur les âmes.

Caroline, l'air complètement affolé, me regardait sans comprendre, mais avec, dans ses yeux, tous les éclats du rire. Quant à ma journaliste, figée, véritablement bouche-bée, elle ne refit surface que lorsqu'elle me sentit au terme de ma lancée.

— Mon doux! Que de nouvelles! Alors si je vous ai bien compris, votre ancienne secrétaire est séquestrée par son mari?

— Non, c'est ma nouvelle, ici présente.

— Mais alors... si elle est là?

— L'évasion serait trop longue à vous raconter. C'est plus que rocambolesque!

118

— Et votre ancienne secrétaire?

— Ça, c'est tout un roman. Digne de Delly, de Magali, avec une pointe de Dékobra... vous savez? Dékobra? Mais comment se peut-il que vous, vous ne soyez pas au courant?

— On me jalouse tellement, mon cher. Si vous saviez... Mais, raconter...

— C'est simple comme le bonheur. (J'étais ravi de ma formule et le regard de Caroline appuya mes paroles.) Elle a épousé un authentique prince polonais, le prince Piotowisky qui possède de vastes propriétés dans son pays, et ils vont repartir, je pense, le mois prochain.

— Mais... sous le régime actuel de la Pologne...

— Oui, bien sûr. Mais la famille des Piotowisky est l'une des rares maisons princières qui ont bénéficié d'un régime de faveur pour services exceptionnels rendus à l'Armée Rouge pendant la guerre.

Moralement, la «madame des petits potins» déclara forfait et regagna sa place, complètement soûlée par ce qu'elle venait d'entendre. Caroline me prit la main et notre retour fut effectivement «simple comme le bonheur». Au seuil de la nuit, il n'y avait que très peu de passagers dans le dernier avion qui nous ramenait de New York à Montréal.

L'hôtesse qui s'occupe de nous est une charmante Haïtienne. L'art avec lequel elle s'auréole de sa splendide chevelure me fait penser à une Antinéa à la peau couleur de nuit... Mieux encore: le magnifique poème de Léopold Sédar Senghor, «Femme Noire», s'impose à mon souvenir. Tout à l'heure, avant de descendre de l'appareil, j'en

réciterai deux vers à cette belle jeune fille. En remercie-
ments et en hommage:

« Femme nue Femme Noire
   Je chante ta beauté qui passe, forme que je fixe
   dans l'éternel. »

J'en fait part à Maryse qui me dit avec le plus grand
sérieux:

— Même dans la tombe, quand une jolie femme pas-
sera dans l'allée, quelque chose de vous frémira et s'en ira
troubler son coeur.

— Vous me tuez avec de telles paroles.

Que c'est bon de se laisser aller au rire et à l'insou-
cience même pour un court moment! Que nous bavar-
dions autour de futilités ou que notre discussion se fasse
plus sérieuse, avec Maryse la conversation est pour moi
un dérivatif inespéré.

— Je pense vous avoir été utile.

— J'en suis sûr.

— N'affirmez pas si vite. Pour cela, attendez de redescendre sur terre!

Je n'ose ajouter «nous pourrions nous revoir» de
peur qu'elle n'accorde à ces mots qu'une valeur de politesse aimable. Et d'ailleurs, ai-je vraiment le désir de pouvoir la rejoindre après notre arrivée? Je ne le crois pas. Du
moins pas avant un certain temps. Ma séparation d'avec
Caroline a été brutale comme un coup de sabre, et sa
seule évocation reste douloureuse. Mais il fallait trancher
net et c'est Madeleine qui s'en est chargé. Heureusement! Je la savais une femme de tête; jamais je n'aurais
pu la croire capable d'une volonté de décision aussi
grave, dans la vie des autres. Son geste nous a sauvés

tous les trois, et malgré la déchirure ressentie, je lui garde une reconnaissance sans réserve.

Pour l'instant, nous achevons notre petit déjeuner. Je sens que très vite je reprendrai goût à ces fameux croissants, ou à ce que les Parisiens appellent «baguette» ou «ficelle», je ne sais plus, ces longs pains dorés et croustillants en forme de point d'exclamation!

Maryse me parle de son séjour.

— Je vais essayer de bloquer tout le côté travail dans les deux ou trois premiers jours. Ensuite... à moi Paris!

— C'est à dire?

— Je vais vous surprendre. En numéro un: la Comédie-Française.

— Pourquoi?

— D'abord pour le décor, l'ambiance. Tout y est beau! Et puis le spectacle, en général impeccable et pour moi, toujours instructif.

— Il est évident qu'à ce point de vue là... Ensuite?

— Ensuite, un ou deux films nouveaux.

— On les voit aussi rapidement à Montréal.

— Peut-être.

— Alors? Snobisme? Pour annoncer négligemment à une amie: «Ce film? je l'ai déjà vu à Paris»!

— Vous êtes méchant!

— Je plaisante. Vous êtes le contraire de «Marie-Chantal». Après?

— Après? Une boîte avec des amis. Le Lido sans doute.

— Et les musées?

— J'en connais pas mal, mais cette fois je veux absolument aller voir le musée Rodin. Et puis, vous savez, quand on aime Paris, il y a toujours un spectacle à découvrir: dans la rue, dans le métro, à l'hôtel... c'est même banal à dire. C'est à surprendre.

— Bravo pour le mot juste... «à surprendre». Le secret de la vie et de l'amour sont encore... à surprendre!

— J'oubliais les quais, ce paradis des poètes.

— Je peux vous dire qu'on nous y verra souvent tous les deux.

— Tous les deux?

— Oui... moi et ma solitude.

C'est plus fort que toute logique: j'ai besoin de me créer un fond de nostalgie. D'y croire surtout... De m'y plonger avec une sorte de délectation morbide. Mes livres ne sont pas autre chose que cette plainte sourde et lointaine d'un impossible imaginé, d'un rêve avorté, d'une souffrance cajolée. Aujourd'hui, alors que je viens de vivre l'impossible, que le rêve s'était réfugié dans mes bras, je n'ai plus besoin d'inventer la souffrance. Ni la mienne, ni celle des autres...

Jusqu'ici je n'avais pas vraiment fait souffrir les miens. Les compréhensions extensibles de Lydia m'arrangeaient certes, mais elles ne lui coûtaient pas, je pense, un très grand effort. Je sortais pas mal, sans doute, mais jamais de façon exagérée. J'avais en horreur les soirées du style beuverie, et si dans mon milieu on pouvait mettre quelques noms sur mes bonnes fortunes, nulle liaison tapageuse n'avait jamais fait parler de moi.

Il n'en était plus de même depuis que Caroline était entrée dans ma vie. À quoi bon préciser? Les plus graves orages peuvent partir d'un nuage de rien du tout, insidieux et chargé d'électricité. D'une couleur indéchiffrable. «Ce jour là, je n'aimais pas la couleur du ciel»... et Saint-Exupéry devra affronter l'une des plus mortelles tempêtes de sa vie de pilote.

Des petits riens, des incidents stupides ou mesquins, des paroles tombées dans le vide d'un silence, des silences lourds de mots retenus: l'atmosphère, chez moi, frôlait chaque jour l'affrontement. Ma volonté et mon raisonnement se heurtaient à une apathie calculée et d'autant plus méprisable que sans cesse, les paroles de mon amie Madeleine s'en venaient frapper aux portes de ma conscience: «Tu n'as pas le droit de faire de la peine.»

Faire de la peine à Lydia était pour moi, non pas une question d'habitude bien sûr, mais une forme admise, presque insensible de cette toile d'habitudes que tisse inévitablement la vie conjugale. Faire de la peine, une peine sérieuse à Hélène, à ma petite Hélène de quinze ans était chose jusque là impensable. Comment est-ce arrivé? Je torture les souvenirs pour aiguiser plus encore s'il se peut mes regrets et mes remords.

Jusque là, j'avais espéré pouvoir laisser mes enfants en dehors des agitations de mon aventure. Mon fils, bien que sérieux dans ses études, vivait déjà sa vie, et sans être dans ses confidences, je comprenais que, selon l'occasion, il savait fort bien répartir ses efforts.

Pour Hélène, c'était différent. Elle me gardait cette admiration qu'une petite fille porte tout naturellement à son père; admiration encore agrandie lorsqu'elle avait pris connaissance de mes premiers livres. Tout amour chez un enfant est exclusif. Et il était normal que je sois là lorsqu'elle jugeait avoir besoin de moi. Mon absence au concert annuel de sa manécanterie l'avait seulement chagrinée. Ce qui se produisit vers la fin de son année scolaire allait la laisser pour longtemps douloureusement choquée et déçue.

Dans le collège privé qu'elle fréquentait, on avait gardé la vieille coutume de la graduation. Un terme désuet qui ne correspondait pas à grand-chose mais qui, aux yeux des jeunes, prenait une valeur symbolique. Et puis, cela permettait une de ces fêtes sympathiques et chaleureuses qui rapprochait dans une même atmosphère quasi familiale — dans ce que l'on appelait «l'esprit de l'école» — un contact plus amical, plus confiant, entre les professeurs, les élèves et les parents. Vieille coutume dans la longue histoire de notre enseignement, un peu semblable à celle de ces somptueuses distributions de prix qui faisaient sortir tant de vieux invendus de chez les libraires et tant de neuves toilettes des garde-robes familiales.

Hélène, donc, devait graduer. Le moment le plus solennel de la cérémonie est celui où la directrice appelle l'élève qui monte sur le podium où son père la rejoint, lui remet lui-même le diplôme et lui passe au cou le large ruban de graduation. Avant de redescendre, il l'embrasse sous les applaudissements émus de l'assemblée et l'on passe à la suivante. Il y en a ainsi pour une bonne partie de l'après-midi, mais tout le monde est de connivence, et le plaisir des jeunes, la satisfaction onctueuse des professeurs, la fierté enfantine des parents font passer sans trop d'impatience la monotonie de la cérémonie. Une cérémonie qui se terminait toujours par un chant religieux et patriotique.

J'ai l'air de prendre tout cela sur un ton d'irrévérencieuse plaisanterie et cependant je dois avouer qu'il est regrettable d'avoir tout fichu par terre de nos coutumes et de nos traditions, sous le prétexte fallacieux d'une évolution déjà stagnante et désabusée.

Comme ce grand jour arrivait, Lydia en avait réglé d'avance tous les préparatifs. La robe d'Hélène était prête et je dois dire que l'une avec l'autre étaient ravissantes. Tellement, que j'avais pris des photos un peu sous tous les angles, dans la maison. Cela se passait un dimanche matin. Dans le courant de l'après-midi, un paquet imposant de devoirs à corriger m'avait empêché de suivre mes deux femmes au cinéma. Hélène avait réussi à arracher sa mère aux routines dominicales pour l'entraîner voir «Le Grand Meaulnes» au cinéma d'Outremont.

La correction de copies reste la tâche la plus ingrate, mais la plus nécessaire, qui incombe à un professeur. D'abord parce qu'il doit y apporter une attention sans faille et s'efforcer à la plus grande objectivité, à la justice la plus souple, la plus compréhensive, mais aussi la plus exacte. C'est pourquoi il n'est pas possible de corriger sereinement passé un certain nombre de devoirs, nombre qui varie selon les méthodes de chacun. Personnellement, avec mes élèves de licence, je procède par tranches de cinq. Ce qui déjà, donne une bonne heure quand il s'agit de dissertations... musclées! Et puis, il y a l'écriture... un vrai sport parfois qui permet de déceler tout de suite les origines scolaires de l'étudiant. À force de vouloir inaugurer des méthodes toutes plus mirobolantes les unes que les autres, à force d'avoir stupidement répété que bien écrire ne servait à rien et que l'orthographe était la science des ânes, on en arrive à imposer des dictées en première année d'université. Maintenant, quand une feuille est illisible, je la retourne à son propriétaire. Un professeur n'est pas payé pour décrypter ou pour traduire.

J'en étais donc à ma deuxième tranche et je sentais que «ça ne tournait pas rond»! J'avais dû reprendre les deux dernières copies pour comparer avec les notes précédentes et relire le tout. Non, l'esprit était ailleurs; je ne pouvais continuer dans de telles conditions. Et je savais trop bien de quel «ailleurs» il s'agissait.

Je pris le téléphone et composai le numéro de Caroline. Elle était là.

— Je n'ai pas bougé, mon chéri. Tu sais que dans huit ou dix jours c'est l'examen d'interprétation et je m'y prépare.

— Et moi je corrige. Mais que dirais-tu d'une pause?

— Une pause-café?

— Non mademoiselle, une pause-amour.

Le rire joyeux de Caroline chantait encore à mon oreille tandis que je roulais vers le parc Lafontaine. Il faisait très beau. «Cette ville est heureuse, pensai-je, et elle ne le sait sans doute pas assez.» Chaque fois que j'avais ainsi la perception de notre existence privilégiée, et surtout lorsque, passant dans ce quartier, j'entrevoyais dans les arbres le monument élevé à la mémoire des volontaires canadiens et français, je ne pouvais m'empêcher de songer à mon frère aîné, tué en 1944 peu après le débarquement allié sur les côtes de Normandie. Il n'avait pas tout à fait vingt ans et il repose en terre française, dans un de nos cimetières où les croix blanches s'alignent à l'infini sous des ciels qui gardent à jamais le souvenir... Des enfants jouaient autour et sur le socle du mémorial en pierre. On éprouvait une sensation de bonheur calme et confiant.

Ce bonheur, je le retrouvai plus intense encore, dans les bras de Caroline. Elle m'attendait dans sa robe marocaine, ma préférée...

Nous étions allongés, immobiles et nus, comme sur une plage immense avec, au fond de nous, l'apaisement des dernières ondes de volupté. Après l'amour le temps s'arrête aux marges du silence où se sont évanouies les lignes du réel. Mais il faut refaire surface et la première parole, le premier geste brise le frêle miroir de l'éblouissement. Tous les amants du monde se sont heurtés à ce semblant de désenchantement qui tend les pièges de la lassitude et des regrets.

Pourquoi fallut-il que ce jour là notre sensibilité soit plus vive, plus vulnérable? Car, tandis que je venais de dire «Ma chérie, je dois partir maintenant», dans les yeux de Caroline, je surpris une larme.

Pas besoin d'être sorcier ou psychologue pour comprendre parfois les larmes d'une femme. Si exaltantes que soient les heures de passion, elles ne sont que des heures qui courent vers une finalité. D'autres viennent leur succéder sans doute, mais entachées, elles aussi, d'une angoisse inévitable. Il arrivait donc à Caroline d'inverser les données de notre amour: ce n'était plus des heures à deux, merveilleuses, uniques, inoubliables, coupées par des temps morts, c'était de longs îlots de solitude et d'attente avec quelques heures de consolation. Une femme amoureuse ne peut éviter cette vision pessimiste dans une liaison où l'un des deux amants n'est pas libre. Tout au long de la soirée, chez moi, je ne songeais plus qu'à cela. À tout ce que j'avais refusé d'envisager, par crainte d'avoir à trop réfléchir et, peut-être, à décider. Or, si le temps d'une décision devait arriver, je savais d'avance qu'il ne pourrait y en avoir qu'une. Je voulais du moins m'en persuader, car cette relative tranquillité d'esprit projetée sur l'avenir, me plaçait sans concession devant une lâcheté évidente et contre laquelle le poète s'insurgeait avec une détermination violente et sincère.

Toutes ces idées s'agitaient dans ma tête, et dans le silence inquiet de la nuit, leur présence se voulait de plus en plus impérative. Tout le monde dormait. Il était trois heures. Hélène et sa mère étaient revenues enchantées de leur film. Mon fils avait téléphoné pour dire qu'il ne rentrerait pas, et moi je m'étais mis résolument à mes corrections. «Toujours la dernière minute» avait soupiré Lydia en me voyant partir pour une nuit blanche. J'en étais venu à bout et il me restait au moins quatre heures de sommeil.

Cependant, je tournais en rond, agité d'une sourde impatience. Devant mes yeux, le visage triste, résigné de Caroline s'imposait puis disparaissait pour me laisser l'image d'une Caroline, les cheveux en désordre, toute donnée à l'amour. Mais là dessus se surimpressionnait son regard où brillait une larme, comme une étoile oubliée au bord d'un abîme.

Alors ce fut instantané, irréfléchi. La même réaction incontrôlable que le soir du théâtre: le besoin de la voir, de lui parler, de la rassurer. À cette heure, tardive ou matinale, les rues étaient désertes. Je fus vite arrivé devant sa maison, mais pour éviter de sonner, je pris la petite rue de service et montai l'escalier de fer qui aboutissait à la porte de sa cuisine. Je m'étais parfois amusé à entrer ainsi chez elle pour la surprendre, car elle m'avait indiqué comment ouvrir par le chassis. Elle avait arrangé assez ingénieusement un système, depuis le jour où, ayant oublié sa clé, elle avait été obligée de s'en aller coucher chez une amie.

Donc, sans trop de bruit, j'entrai. Une cloison flexible qu'elle appelait son accordéon, séparait la cuisinette du studio. J'allais très doucement la faire glisser lorsqu'elle s'ouvrit. Caroline était devant moi. Sans un mot nous nous regardions. Par dessus son épaule je voyais le lit. Elle avait suivi mon regard et, très calmement me dit:

— Oui, Thierry est là.

Je ne voulus rien entendre, rien écouter. Sur les marches de l'escalier, Caroline m'avait suivi.

— Écoute moi mon amour... Je t'en supplie. Tu sais bien qu'il n'y a rien... Mais ce soir il m'était impossible de le renvoyer.

Je ne sais ce que je répondis. Sur le coup de la déception avec une vivacité qui écorche toute raison, je fus inutilement méchant, je crois. Caroline s'était accrochée à mon bras.

— Jean-Claude écoute moi. Thierry nous a surpris l'autre jour, après le cours. Il a compris quelque chose et voulait lâcher ses études.

— Ce n'est pas une raison pour le mettre dans ton lit.

— Mais je t'ai tout expliqué déjà... Tu es injuste. Il risque sans cesse une dépression sérieuse. Et encore tu ne sais pas tout...

Je m'étais arrêté au bas de l'escalier. Dans l'ombre, Caroline était encore plus belle, et si désirable dans sa fine chemise de nuit que je fus tenté de la saisir dans mes bras. Un stupide orgueil, au contraire, me fit lui dire encore des paroles blessantes. À tel point qu'elle se rebiffa, remonta quelques marches, et répliqua avec une sécheresse de ton qui me cloua sur place :

— Toi aussi, tu as quelqu'un dans ton lit.

En trombe je fis démarrer ma voiture. Colère contre moi, contre la vie, contre ce gamin qui jouait au bébé dans le lit de ma maîtresse. Colère contre cette nuit trop douce, trop claire, trop saturée de désir. (La silhouette de Caroline, nue sous le frêle tissu, me hantait encore.) Je roulais vite. Cela m'apaisait. Trop vite, car je fus incapable de freiner à temps voulu, et je passai nettement au rouge à l'intersection de Sherbrooke et Cherrier.

Évidemment, comme toujours dans ces cas là, une voiture de police me suivait. Et ce fut le scénario classique: accélération de ces messieurs, coup de sirène, arrêt sur la droite et :

— Vos papiers de voiture, s'il vous plaît.

Je fouillai mes poches, sachant déjà fort bien que c'était inutile.

— Vous n'avez aucun papier?

— Aucun. J'ai changé de veste et je les ai oubliés.

— Alors vous allez nous suivre au poste de police.

Rien de grave en temps ordinaire mais, dans la circonstance présente tout ceci devenait ennuyeux. J'aurais voulu éviter que Lydia soit appelée de cette manière, en pleine nuit, pour venir me récupérer, et je tentai de discuter avec le sergent.

— Écoutez… je vous ai donné mon nom, ma profession, mon adresse. Laissez-moi aller chercher ma licence et mon permis ou venez avec moi. Mais ne réveillez pas ma femme et mes enfants.

— Alors que faisiez vous à trois heures du matin, aussi loin de votre domicile?

— Je vous l'ai dit. J'ai passé la moitié de la nuit à corriger des devoirs et j'avais besoin de me détendre, de rouler un peu, au hasard…

— Cela ne vous donne pas le droit de brûler les feux rouges.

— Oui, c'est vrai, mais… la fatigue, l'inattention…

Entre temps, j'avais entendu que l'un d'eux téléphonait pour se faire confirmer mon identité au fichier général des permis de conduire, et il venait d'en informer le sergent qui me dévisagea d'une façon plus aimable.

— Vous savez que vous êtes passible d'aller en Cour. Double infraction: passage à un feu rouge et conduite sans permis.

— Oui je le sais.

— Bon… On va oublier la première infraction qui est la plus importante. Pour la seconde, vous aurez à payer une amende.

— Je peux payer tout de suite?

— Non. Vous recevrez un avis.

Je remerciai vivement le sergent et rentrai chez moi avec une sage prudence, trop heureux d'être tombé sur un policier compréhensif. Après coup seulement, je me rendis compte que j'aurais dû penser à ce que l'avis d'infraction soit adressé à mon bureau et non à mon domicile. Toutefois, ayant évité le pire, je me rassurai.

Le «rush» des passagers vers les mini-cabines de toilette vient de commencer. Longue file patiente, les dames tenant leur petit nécessaire à maquillage. Je demande à Maryse si elle ne désire pas...

— Non. Je veux absolument savoir...

— La fin?

— Dites «la suite», c'est plus prudent. Et d'abord, avez-vous eu un ennui quelconque avec cette contravention?

— Oui. Vous savez comme moi qu'une tuile n'arrive jamais seule... et j'ai pu marquer d'une pierre noire la semaine qui a suivi. Pour l'histoire du feu rouge, l'avis de contravention, au lieu d'arriver par la poste, a été porté à mon domicile par un constable. Compression de budget sans doute! J'étais à l'université. Vous devinez la suite: ma femme n'a même pas attendu mon retour. Elle a téléphoné à mon bureau et aux premiers mots j'ai compris. «Je saurai au moins dans quel quartier elle habite!»

Tout cela encore restait pour moi sans grande importance. C'est mon absence à la fête de graduation de ma fille qui a vraiment provoqué une faille douloureuse et extrêmement grave entre ma femme et moi. Le hasard — mais est-ce bien le hasard? — se révèle cruel parfois. Il serait trop long de vouloir absolument aller au fond des choses. De vouloir expliquer à tout prix ce qui échappe à toute logique et à tout raisonnement. Brutalement voici:

je ne suis pas allé au collège où ma fille graduait, mais j'étais aux côtés de Caroline alors qu'elle passait son examen d'interprétation. Oui le hasard est implacable. Il a fallu que le même jour je sois placé devant un choix qui était forcément une préférence. Aujourd'hui encore, de tout ce que je suis appelé à me reprocher, c'est ce chagrin causé à ma petite Hélène qui me bouleverse et que je ne me pardonne pas.

Maryse m'interrompit:

— Pourquoi ne pas avoir expliqué à votre amie. Je suis sûre qu'elle vous aurait obligé à vous y rendre.

— Je le crois aussi. Et c'était bien mon intention de lui en parler. Mais il y avait eu l'incident de la nuit. Ses dernières paroles: «Toi aussi tu as quelqu'un dans ton lit», m'avaient soudainement placé devant une réalité sans romantisme et sans équivoque. Oui, j'avais une femme, ma femme, dans mon lit et, même si je donnais le change, il me fallait bien de loin en loin... Cela, Caroline, sans jamais m'avoir interrogé, le pressentait, et comme toute femme, en éprouvait un sentiment, même involontaire, de jalousie, d'humiliation.

Je venais de réaliser qu'à tout moment, pour une maladresse, un malentendu, je risquais de perdre Caroline et je fus, tout au long des jours qui suivirent, encore plus attentionné, plus amoureux, plus amant... Lorsqu'elle me dit combien elle serait fière de jouer devant moi les scènes qu'elle avait préparées, je ne me sentis pas le courage de la décevoir une fois de plus, et me résignai à subir l'orage qui m'attendait chez moi.

Plus les orages font de bruit, dit-on, plus ils s'éloignent vite. Ce ne fut pas le cas, et même si, par la force des choses, il fallut bien continuer notre vie commune, Lydia et moi, la déception d'Hélène restait, et reste toujours comme une écharde au plus vulnérable de mon coeur.

132

Mais qu'il est donc étrange l'amour des enfants pour leurs parents! C'est lorsqu'ils veulent se manifester de la façon la plus agressive ou la plus indifférente, que les liens qui les unissent à nous s'affirment immuables et indissolubles. Je venais d'en faire l'expérience en quittant la maison pour l'aéroport. Hélène m'avait dit au revoir du bout des lèvres et s'était bouclée dans sa chambre. J'en éprouvais une peine déchirante. Et voici que tout à coup, la porte s'est ouverte avec fracas. Un cri: «Papa.» Un cri de femme et d'enfant, je ne sais, mais venu du fond des entrailles. Et un bond de jeune animal... ma fille se jetant à mon cou d'un élan si violent, qu'un réflexe immédiat me fit lâcher mes valises pour la retenir, en larmes, dans mes bras.

Une nouvelle fois Maryse m'interrompt. Il nous reste à peine une demi heure de vol avant d'atteindre Roissy, et je comprends qu'elle voudrait connaître le dénouement.

— Évidemment, votre absence à la fête de graduation peut expliquer pas mal de choses, mais enfin... ce n'était pas un drame irréparrable! En réalité, si vous êtes parti c'est pour rompre avec Caroline? Non?

— Ce n'est pas aussi simple. D'abord, dans la même semaine, ma fameuse journaliste rencontrée à Saint Louis et qui avait quand même compris que je m'étais payé sa tête, fit paraître un entrefilet corrosif qui m'attira des ennuis aussi bien chez moi qu'à l'université. Avec d'hypocrites circonvolutions elle apprenait à ses lecteurs que le professeur Mazerolles «aidé d'une jeune et charmante secrétaire», avait présidé le congrès en question «avec un dynamisme renouvelé». Mais tout cela, c'est vrai, pouvait s'estomper sans de trop graves conséquences. Et cependant, quand un drame doit se produire, c'est un enchaînement de circonstances parfois bénignes qui le préparent et le rendent inévitable.

L'année scolaire s'achevait. À l'université mes cours étaient terminés. Les devoirs avaient été corrigés et rendus. J'étais assez satisfait de cette session et mon directeur du département, Jean Lelorrain qui, bien entendu, n'avait pas pris au sérieux cette histoire de Saint Louis, m'avait fait comprendre qu'il voyait en moi un successeur éventuel. En causant, il m'avait incidemment appris qu'un poste s'offrait à celui qui aimerait partir en France, donner un cours sur notre littérature et je lui avais même suggéré les noms de deux ou trois collègues.

Au Conservatoire, les examens de fin d'année se déroulaient normalement. En interprétation, une surprise: Sophie était arrivée en tête. Quelle joie pour elle! Thierry lui avait donné la réplique dans une scène de Marivaux, et elle avait mis dans son jeu un tel accent de vérité que nous en étions restés médusés, avant que ses camarades ne lui fassent une bruyante ovation. Caroline et Katia s'étaient mérité le même nombre de points et toute la classe était allée fêter l'événement, le soir, dans une discothèque.

Le lundi suivant était le dernier de leur année scolaire. Je ne saurais expliquer exactement pourquoi, mais une fois de plus, une idée insolite m'avait poussé à retrouver Caroline avant cet ultime cours; à la surprendre au réveil pour pouvoir ensuite, en classe, éprouver une nouvelle fois — peut-être la dernière — ce trouble grisant de me revoir avec elle dans nos gestes les plus osés et de me répéter: «Cette belle fille est à moi. Elle est ma maîtresse. Elle m'inspire et elle m'exalte et c'est dans mes bras qu'elle a découvert toutes les jouissances de l'amour...»

Je partis donc de chez moi bien plus tôt que de coutume. Ma femme ne me posa aucune question. D'ailleurs, depuis l'incident du feu rouge et surtout depuis qu'une «amie bien intentionnée» lui avait révélé le «potin» qui me

concernait et mettait en cause ma «jeune et charmante secrétaire», Lydia avait adopté une attitude d'indifférence
polie. Il était évident qu'une telle atmosphère ne pourrait s'éterniser. J'allais être placé devant une inévitable
décision, cela ne faisait aucun doute, mais je laissais cou-
ler le temps. Les vacances étaient là, et, à la dernière minute, je m'étais fait attribuer une série de cours d'été allant
de fin juin aux premiers jours du mois d'août. Ma famille
serait alors dans les Laurentides et moi, seul et libre à
Montréal.

Toutes ces pensées se bousculaient en désordre, et
ce n'est qu'en sonnant chez Caroline que je les chassai de
mon esprit pour ne plus appartenir qu'aux minutes pré-
sentes qui m'attendaient.

— Toi!

Encore un de ces mots qui résonnent au plus profond de mon coeur, comme répercutés à l'infini sous les
voûtes d'une cathédrale. Et nous avons tous en nous, une
cathédrale que les années, jour à jour, heure par heure, ont
élevée sur les dalles de nos souvenirs...

Elle fut dans mes bras, plus frémissante encore, plus
désirable, plus idéalement femme que jamais, et je ne
savais que répéter: «Mon amour... mon jeune amour...»
Une soif de son corps me possédait. Nous n'avions même
pas eu le réflexe d'aller jusqu'au lit d'où elle venait de se
lever. Ployée dans mes bras, épousant mon corps de toutes les forces de sa passion, elle m'avait roulé avec elle sur
la moquette. Pour s'échapper elle murmura à mon oreille:

— Mon chéri, laisse-moi aller faire un peu de toilette...

— Non. Reste ainsi mon amour...

Je crois que de mon côté je ne fus jamais aussi fou, c'est le mot, que ce matin-là. Je la respirais avec une sorte de sadisme voluptueux et tendre. En cette minute même, je sens revivre sous mes doigts la jeunese ardente de ses seins, de ses jambes, le sillon de son dos d'une cambrure parfaite accordée aux caresses, et ma bouche garde encore le goût de cette vie secrète et chaude où se boit le philtre éternel de l'amour.

Nous aurions pu rester des heures, ensuite, anéantis d'une même ivresse apaisée, laissant nos coeurs, seuls, poursuivre leur étreinte. Or c'est à cette minute même, que le regard de Caroline pénétra doucement, mais comme une lame quelque part en moi.

— Jean-Claude, mon amour... C'est fini nous deux, n'est-ce pas?

Je ne pus répondre. C'est comme si une main de fer m'avait saisi le cou, et seules les larmes me libérèrent de cet étouffement.

— Ne dis rien. Je t'en supplie. Tu le sais comme moi. C'est impossible. Pour toi... Pour moi... Oh! Jean-Claude, je t'en prie. Je ne peux pas te voir pleurer...

— Et moi je ne veux pas te perdre.

— Le poète ne me perdra jamais, j'en suis sûre mon amour.

Elle tenait ma tête blottie contre elle et c'est avec des gestes inconsciemment maternels qu'elle ramena un peu de calme entre nous.

Pendant qu'elle s'habillait je ne cessai de lui parler, comme si j'avais voulu effacer les paroles qu'elle avait eu le courage de prononcer... De son côté, elle me répondait avec peut-être un peu trop de volubilité.

— Sais-tu que je suis invitée à un bal?

— Très bien.

— Tu ne me demandes pas par qui?

— Alors je te le demande.

— Par Katia.

— Oh! Oh!

— Non monsieur. Pas de «Oh! Oh!». Elle avait des billets à vendre pour le bal de l'Alliance française et...

J'interrompis brusquement Caroline.

— Pas possible! Tu seras à ce bal samedi soir?

— Bien sûr. Avec Katia, Danielle, Thierry... enfin, plusieurs camarades du Conservatoire et des gens que je ne connais pas. Pourquoi?

— Parce que j'y serai aussi.

Caroline, peigne en main, sortit d'un bond de la salle de bains et se jeta sur moi.

— C'est vrai? Tu y seras?

— Oui mon chéri, mais... pas seul.

— Je le suppose. L'important est que tu sois là.

— J'y vais tous les ans. Mais comment se fait-il que Katia place des billets?

— Son père a été longtemps président ou secrétaire de l'Alliance de Québec. Tu sais, je t'avoue que je ne connaissais pas cette société.

— Tu n'es pas la seule. La plupart des gens s'imaginent qu'il s'agit d'une association de Français alors que c'est un des premiers groupements fondé à Montréal, au début du siècle, pour défendre notre culture française.

— Mais le Siège social est à Paris.

— Parce que c'est le centre de la francophonie. Paris centralise, moralement si tu veux, toutes ces activités éparses et envoie des conférenciers ou des artistes pour soutenir les Alliances dans le monde.

— Tu en fais partie depuis longtemps?

— Depuis des années. Mais l'Alliance de Montréal n'est rien du tout à côté de celle de Toronto ou de celle de Vancouver.

— Il y a une Alliance française à Toronto?

— Et comment donc! Ils ont une maison à eux, avec une école et plus de mille étudiants. Plus de deux mille je crois, à Vancouver.

— Ma tante ne m'en a jamais parlé.

— Tu as une tante à Vancouver?

— Oui, la soeur de mon père. Elle voudrait que j'y aille pour perfectionner mon anglais.

J'aurai voulu continuer cette conversation. Parler encore. Parler longtemps. De n'importe quoi, mais faire durer ces minutes uniquement pour le plaisir de me sentir vivre dans l'intimité de ma maîtresse, car je n'arrivais pas à m'arracher du coeur cette angoisse latente qui entachait mon bonheur d'une amertume apeurée. J'avais l'impression que nous vivions l'un et l'autre sur un sommet instable et qu'à toute minute nous allions glisser vers un abîme sans retour...

Ma dernière classe de première année, au conservatoire, fut exactement ce que j'avais pressenti. D'abord, en entrant, je vis tout de suite le paquet-cadeau qui m'attendait. Connaissant mon faible pour les vins de France, ils m'avaient acheté deux bouteilles de champagne. Puis, Thomas me remit une grande carte où chacun avait écrit un mot. (Je constatai par la suite que Thierry avait simplement écrit «merci» suivi d'un point d'interrogation.) Caroline savait donc garder parfaitement un secret, et j'essayai de saisir très vite la lueur malicieuse de son regard. Cela aussi était entre nous la source d'un jeu qui, même au plus sérieux de mes cours, ne pouvait s'abolir tout à fait. Je savais qu'elle ne me quittait pas des yeux et c'était tout à fait normal pour une sage étudiante que d'écouter son professeur avec une attention soutenue, alors qu'il m'était impossible, à moi, de la fixer trop longtemps. Tout au long de l'année, sans me faire de concessions, elle me disait, après, lorsque nous nous retrouvions, ce qu'elle avait aimé dans ma façon de présenter soit un texte, soit un auteur. «Je te défends de parler d'amour de cette façon là, devant tout le monde» m'avait-elle spécifié après les deux heures de cours que j'avais consacré au célèbre poème de Lamartine, «Le Lac». Et tout de suite, avec une émotion dont je ne cesserai jamais de ressentir en moi l'onde immatérielle:

— Moi aussi, mon amour, à jamais, j'ai de toi des poèmes qui ne peuvent plus mourir...

Et, sa bouche sur ma bouche, elle me répétait les vers que je lui avais dédiés comme si, dans le souffle de ses baisers, elle eût voulu partager avec moi l'âme des chants qu'avait fait naître son amour.

J'avais disposé les deux bouteilles aux deux extrémités du bureau que j'avais débarrassé de tous mes papiers, et les élèves regardaient sans trop comprendre.

— Écoutez bien: la meilleure façon de vous remercier et de vous dire combien j'ai été heureux d'avoir passé cette année scolaire avec vous, c'est de boire ensemble ce champagne que vous venez de m'offrir.

Ce fut très vite organisé. Deux ou trois élèves disparurent quelques minutes pour revenir avec des verres et mieux encore avec des petits gâteaux. Nous étions tous assis en cercle et, pour le nombre, une quinzaine, les deux bouteilles suffisaient. C'est alors qu'un garçon, Eric, un garçon que j'avais jugé extrêmement sensible et secret, me prit aimablement à partie :

— Monsieur Mazerolles vous êtes poète. Beaucoup d'entre nous connaissons vos livres et pourtant, jamais nous ne vous avons entendu dire de vos poèmes.

— Parce que j'ai pris pour règle absolue de ne jamais rien réciter de moi dans mes classes.

— Ici c'est spécial. Et puis, c'est notre dernière classe avec vous.

Tous les autres firent chorus, et Sophie, avec une mine d'enfant boudeur, me menaça de son doigt comme je m'amusais à le faire lorsqu'elle avait tendance à trop bavarder avec sa voisine. Et c'est ainsi que pour la première fois, je me permis de dire des vers dont j'étais l'auteur.

Ils m'écoutaient dans un silence absolu. Entre eux et moi, je sentais une sorte de complicité amicale. Thierry seul me semblait absent. Ma poésie le contournait sans l'atteindre. Je devinais un refus volontaire, hostile, et j'en fus très sincèrement affecté. Après deux ou trois courts poèmes, je m'arrêtai. Caroline alors, me riva à ses yeux:

— Encore un... un dernier...

J'avais bien traduit «le dernier». Le dernier que je lui avais envoyé après cette nuit où nous nous étions stupidement blessés avec des mots inutiles. Un poème qui n'était pas parfait sans doute, mais qui avait jailli comme un cri ou comme une prière...

Je regardai tous ces jeunes visages… celui de Caroline tendu vers moi et je fus brusquement saisi d'une sorte de vertige que je cachai en mettant ma main devant mes yeux comme pour me concentrer. Je venais d'avoir l'impression de livrer mon coeur à nu, l'impression que j'allais dire en clair l'amour secret découvert ici, entre ces murs, et que chacun comprendrait quel était ce visage qui se dessinait au filigrane de mes vers.

Le calme revint, et très lentement je commençai:

Comment ne pas t'aimer puisque tu es l'Amour
Comment ne pas rêver puisque tu es le Rêve
Comment ne pas chanter puisque tu es le chant
Que mon âme cherchait jour à jour sur les grèves…

Comment ne pas prier dans les silences bleus
Puisque tu es la foi en sa tangible image
Comment ne pas tomber à genoux devant Dieu
Puisqu'Il mit tant de ciel autour de ton visage…

Comment ne pas unir le silence et le cri
Quand l'amour à tes pieds vient déposer ses armes
Comment ne pas donner puisqu'il était écrit
Que tu serais ce don, sa folie et son charme…

Comment ne pas t'aimer, toi qui seras mes larmes…

Il y eu un silence que Katia brisa en douceur avec cette pensée de Sacha Guitry: «Ce silence qui suit est encore de vous.» Je pensais qu'on en resterait là, et que nous allions nous quitter sur cette note d'harmonie poétique. Il n'en fut rien. Thierry sortit de sa réserve et sans préambule se fit mordant:

— C'est très joli bien sûr. Mais quand vous parlez de larmes, pour qui sont-elles vraiment?

Je fus pris au dépourvu mais, pensant désamorcer cette petite bombe de rancoeur, je répliquai avec humour:

— Si j'étais prétentieux je vous répondrais: elles sont pour la postérité!

— Ce qui ne serait pas une réponse ou du moins... ce qui serait trahir la poésie.

— Comment ça, trahir?

— Mais oui. La qualité première de toute poésie, c'est la sincérité je crois. Alors, ces larmes? Pour vous elles sont à venir si je comprends bien?

Katia — toujours elle au moment où il le fallait — lui lança avec impatience:

— Et nous on ne comprend pas où tu veux en venir. Tu veux prouver quoi?

— Que les poètes à tendance romantique ne font que tourner autour de leur Moi. Leur souffrance est avant tout celle de l'autre.

— Qu'en savez-vous Thierry, si elle est uniquement celle de l'autre?

— Si elle était aussi profonde qu'ils l'écrivent, pas un poète ne pourrait vivre.

— Et c'est justement cela, leur tourment: vivre quand même.

— Vivre et aimer.

L'un ne va pas sans l'autre. Mais... j'ai l'impression que vous n'allez pas jusqu'au bout de votre pensée. Expliquez-vous clairement.

—Je veux dire que tous ces chants d'amour, que toute cette passion qui vous pousse à écrire, vous les prenez à un être qui vous inspire, à sa vie, à sa jeunesse surtout. C'est vrai?

— Oui c'est vrai.

— Alors le plus beau poème d'amour est un vol.

— C'est un vol qui devient un envol... Mais vous allez m'accuser de jouer encore avec les mots!

— Vous ne jouez pas seulement avec des mots, mais avec des sentiments.

— Qui vous dit que c'est un jeu.

— Vous prenez et ne rendez pas.

— On prend beaucoup, c'est vrai, mais on rend à combien!

— Donc les poètes n'ont jamais mauvaise conscience.

— Un poète n'a de mauvaise conscience que devant de mauvais vers.

— Il est facile d'être persuadé de sa sincérité.

— Il est impossible à un vrai poète de ne pas être sincère.

— On peut faire souffrir avec sincérité.

— Vous tombez dans des généralités, Thierry. La poésie est un don. Elle peut faire vivre et survivre.

— Et pourquoi pas mourir?

— Oui, pourquoi pas!

Je ne sais plus lequel d'entre eux s'interposa avec véhémence, mais la discussion se clôtura ainsi, et après leur avoir souhaité de bonnes vacances, je partis assez contrarié d'un incident qui tournait à l'affrontement.

En arrivant chez moi, je reconnus devant la maison la voiture de Madeleine. Elle m'attendait dans mon bureau, plongée dans la lecture. J'allai vers elle, l'embrassai et lui pris le livre des mains.

— Baudelaire! Tu dois le connaître par coeur.

— Pas tout à fait, mais presque.

— On se demande comment on ose écrire des vers, après lui.

— Ne dis pas cela. On n'écrirait rien depuis Villon. En revanche, on peut prendre la mesure de notre pauvreté actuelle.

— Tu es trop sévère. Il y a encore, heureusement, de vrais poètes. Quelle que soit leur forme d'écriture.

— Mais il y a aussi les autres. Vois-tu, Jean-Claude, la poésie c'est comme l'amour. Elle nous dénude, et si l'on n'a pas le coeur solide…

— On crève comme une bête.

— Ou l'on meurt comme un dieu. C'est au choix.

— Ce qui veut dire?

— Que c'est à toi de choisir. Tu as très bien compris…

— Oh! Madeleine…

Elle m'a reçu dans ses bras comme un enfant. Et je suis, à cette minute, un enfant qui sait que la belle histoire doit finir; qu'il doit refermer lui-même la porte du jardin enchanté et qu'il doit s'en revenir seul, vers sa maison...

Maryse ne songe pas à retenir son émotion. Sur mon bras, l'étreinte de sa main.

— Ce bal... Vite, racontez... Qu'est-il arrivé? Car il est arrivé quelque chose? C'était inévitable. Je vous devine Jean-Claude. Tout s'est joué là, à ce bal, n'est-ce pas?

— Et surtout après ce bal.

— Votre femme était-elle au courant? Je veux dire... l'aviez-vous prévenue de la présence de vos élèves?

— Oui. Je lui avais parlé de Katia et de son père.

— Mais pour Caroline?

— Lorsqu'elle la vit avec le groupe, elle comprit que c'était elle, j'en suis sûr. De toute façon, il y eut la suite...

Cette suite, je ne peux la revivre sans en ressentir encore les remous douloureux. Tout avait bien commencé pourtant. D'ailleurs, ce bal est toujours une réussite: ni snobisme, ni vaine mondanité, mais une élégance de bon goût. De jolies femmes en robe du soir. Un excellent orchestre et le décor rénové d'un grand hôtel de l'avenue du Parc.

Nous avions quitté la maison avec un peu de retard pour attendre Madeleine qui devait se joindre à nous. Son mari, ne sachant que mettre, disait-il, «un pied sur celui de l'autre», était resté au chalet avec les enfants.

En arrivant dans la salle, les amis que nous devions retrouver étaient là et nous firent signe. L'orchestre jouait, mais uniquement pour créer l'ambiance, les invités allant se saluer de table en table avec déjà une gaîté communicative.

Je m'efforçais de rester calme, naturel, surtout dans ma tenue et mes propos car mon regard circulaire et prolongé sur l'assistance, n'avait pas échappé à Lydia. Mais comment retenir son coeur quand il est sur les bords d'une attente folle, prêt à éclater ou à bondir? Il me fallait éviter de la voir venir... car je savais qu'il me serait impossible de feindre l'indifférence. Je m'obligeai donc à tourner le dos à l'entrée mais j'avais repéré une grande table vide, non loin de l'orchestre, et je présumai que c'était la leur.

Le temps passait et la table en question restait vide. On avait commencé à danser et j'avais invité Lydia. Elle dansait bien, et si je n'avais pas eu mon esprit aussi accaparé, je peux même dire aussi obsédé par le désir de Caroline, j'aurais pris plaisir à évoluer sur cette piste, comme les années précédentes, avec ma femme dans les bras. Car j'aimais, avec elle, ce contact sans équivoque qui faisait nos corps complices d'un rythme, d'une habitude et, pourquoi ne pas l'avouer, d'un même plaisir sensuel. Mais je devais danser comme un automate car elle m'en fit la remarque sans méchanceté. Je suis sûr qu'elle avait décidé de rester maîtresse d'elle-même, et ce n'est que maintenant, bien trop tard, que je mesure tout ce que cet effort lui a demandé d'énergie et de patience. Toujours maintenant que je réalise qu'il était inévitablement dangereux de me trouver partagé, même pour les heures brèves d'un bal, entre deux êtres qui, chacun de son côté, chacun dans sa situation, m'observaient et me jugeaient. Oui, maintenant seulement que je me place enfin! devant une responsabilité sans pardon.

Je valsais avec Madeleine lorsque Caroline et ses amis entrèrent. Heureusement...

146

— Elle est là, n'est-ce pas?

— Oui.

— Je t'en supplie Jean-Claude, n'agis pas comme un gamin. Tu m'as assuré que c'était fini.

— Il le faut, je le sais.

— Et elle?

— Elle le sait aussi... Mais c'est dur, tu sais... Crois-moi.

— Je te crois...

Ces simples mots «je te crois», Madeleine les avait prononcés avec un tel accent de tristesse, que toute mon attention se reporta sur ma vieille amie (et je ne dis pas vieille dans le sens de l'âge).

— Madeleine! Aurais-tu des secrets?

— Quelle femme n'en a pas.

Il y eut un étrange silence... Un souvenir venait de remonter de très loin dans le temps. Celui d'un voyage aux États-Unis, pour conduire mon fils René dans une colonie de vacances tenue par des religieuses de Québec. Lydia, clouée à la maison par une rougeole d'Hélène, avait demandé à Madeleine de m'accompagner.

Juillet cette année là, brûlait sous tous les soleils de la création. J'avais à cette époque, achetée d'occasion, une Chevrolet aux réactions assez curieuses... Pour l'aller, elle avait manifesté un bon caractère et nous avait conduits sans histoire jusqu'à Biddeford au sud de Portland. C'est au retour qu'elle fit des siennes! Après avoir traversé le New Hampshire, elle dut se complaire dans la douceur des paysages du Vermont car, tel un cheval rétif, elle stoppa ses chevaux-vapeur à quelques milles d'une ville au nom typiquement français: Montpelier... avec un seul «l»!

Je pus alors apprécier la chance d'avoir avec moi quelqu'un d'aussi décidé que Madeleine. Je crois que sans elle j'y serais encore! Toutefois, il fallut passer la nuit dans un motel, mais pas un instant ne nous était venue l'idée de prendre deux chambres. Entre nous, qui nous connaissions depuis l'école, aucune gêne à dormir dans deux lits jumeaux!

Une chaleur humide nous empêchait de trouver le sommeil. Pudiquement, nous avions l'un et l'autre un morceau de drap sur nos corps moites.

— Tu ne peux pas dormir?

Et sans penser à rien j'avais étendu mon bras qui rencontra sa main. Est-ce cette étouffante atmosphère qui fut la cause du geste presque machinal qui me fit glisser de mon lit pour m'étendre à côté d'elle? Je ne saurais répondre, mais je sais qu'elle resta sans bouger, me laissant l'initiative... Ce fut rapide. Et comme je ne voulais pas jouir d'un plaisir égoïste, je me souviens lui avoir dit tout bas: «Je t'attends...» «Non. Mais toi mon Jean-Claude, toi...». Et nous échangeâmes le seul baiser de notre vie.

Au matin, j'étais sur mon lit, ou sur le sien je ne sais plus, mais la voiture était là avec, au volant, une Madeleine en pleine forme qui me criait: «Dépêche-toi de prendre ton café. On s'en va.» Jamais nous n'avons reparlé de cette nuit...

Et voici qu'il avait suffi d'une danse. Elle n'avait pas osé dévoiler sa pensée et je me trompais peut-être. Tout cela était si loin, avait été si bref, si inattendu. Sans lendemain. Alors? Je voulus en avoir le coeur net.

— Madeleine... pardonne-moi si je te paraît prétentieux mais... pensais-tu à Montpelier?

Pour toute réponse, elle frôla ma joue de ses cheveux blonds...

Encore et toujours, lorsqu'il s'agit de cette incroyable soirée, c'est maintenant que je te dis: «Madeleine, Madeleine... tu es un peu responsable de ce qui est arrivé ensuite entre Caroline et moi. Tu avais disposé mon âme à toutes les folies du rêve. Tu venais de me prouver qu'une heure de notre vie risquait de ne jamais plus s'effacer de la mémoire, et que le passage fugitif de l'amour creusait sa marque, toujours la même, sans tenir compte de l'âge ou du temps.

Oui Madeleine, toi qui m'as toujours aimé en retrait, en silence, sous le masque d'une amitié si fidèle et si loyale, tu avais ce soir-là, sans le vouloir et sans le savoir, bouleversé mon coeur. Et lorsque j'allai chercher Caroline pour une longue suite de slows, j'étais déjà comme sous l'effet d'une drogue et je sentais monter en moi toutes les vagues grises de la désespérance et de l'adieu.

Je m'oblige à faire un effort pour essayer de bien dire, de ne pas trahir ces minutes infinies qui continuent de vivre à côté de ma vie. Bien entendu, j'étais allé m'asseoir un moment à la table de Caroline après avoir dansé une seule fois avec elle. En plus des jeunes que je connaissais, elle me présenta un couple et une de ses parentes, je crois, qui avait avec elle un air de ressemblance et qui s'amusait autant que les étudiants. Katia, tout de suite, m'avait servi une coupe de champagne et Danielle, très gentiment, m'avait demandé de lui réserver un tango, ce qui avait été très agréable car elle dansait divinement bien. Ensuite, j'avais dansé encore avec Lydia comme avec une étrangère, puis avec les amies de notre table.

Je savais aussi que, sur le coup de minuit, Henry, le chef d'orchestre, avait l'habitude de jouer les slows les plus célèbres et les plus charmeurs. Je m'étais donc arrangé pour me trouver non loin de la table de Caroline.

Dès les premières notes d'un air rétro qui revient au premier rang des succès actuels, «Un amour comme le nôtre», je fis un signe à mon amie qui se leva tandis que j'allais vers elle.

C'est alors que tout commença sans que nous puissions nous rendre compte de ce qui se passait vraiment, tant nos deux coeurs enlacés étaient absorbés, projetés dans un espace de temps qui n'était plus celui des autres, qui n'était plus celui d'une réalité immédiate. Je n'avais pas enlacé Caroline. Elle s'était soudée à moi comme si sa vie ne dépendait plus que de cette harmonieuse étreinte qui nous entraînait au milieu d'une foule sans visage.

Je crois qu'il nous eût été impossible de prononcer une parole si quelqu'un nous avait parlé, impossible de dire où nous étions, ce que nous faisions là, ce qui nous attendait. Nous glissions «jusqu'au bout de la nuit» disait la musique de Charles Aznavour et nous aurions glissé ainsi, à jamais, jusqu'au bout de la vie, s'il nous avait été permis d'aller jusqu'au bout de ce merveilleux désespoir...

Toute sagesse, toute prudence s'étaient soudainement abolies d'elles-mêmes. Avaient-elles jamais existé? Nous ne savions plus. Plus rien n'avait d'importance que nous, que ce couple évadé des prisons de leur destin.

Mes lèvres, d'une caresse incessante, respiraient Caroline: ses cheveux, son cou... et le désir de sa bouche, le désir de nos deux âmes, fut plus fort que la plus essentielle raison. Ce soir là, nous avons marché comme Tristan et comme Iseult dans une forêt où un danger mortel attendait à la lisière, pour le jugement de Dieu.

Quand je revins à ma table, il n'y avait plus que Madeleine qui, d'autorité, me prit le bras et m'entraîna vers sa voiture. J'avais eu le temps tout de même de me tourner vers Caroline et de surprendre son air inquiet. Thierry n'était plus là...

Est-il besoin de préciser que dans le rapide trajet de retour, le silence de Madeleine me fit plus de mal que les plus véhéments reproches? Peu à peu, je reprenais le sens normal de ma raison. J'émergeais d'un océan de brume où j'avais cru entrevoir des plages sans frontières et sans lois. Je prenais surtout conscience de la façon dont je m'étais tenu. En bref, j'avais fait scandale et Lydia avait quitté le bal. Elle avait pris la route et, sans passer à la maison, était partie directement au chalet rejoindre les enfants. Madeleine m'apprit plus tard qu'elle lui avait dit: «Ne le laisse pas seul. Quand il est dans cet état d'esprit il est capable de n'importe quelle folie.» En somme, ma femme avait toujours su que le délire des poètes n'était pas une simple image. Qu'il correspondait à une rupture du bon sens commun avant de le voir lentement s'estomper. C'est moi qui n'avais pas compris...

J'allais me coucher lorsque le téléphone sonna.

Je ne reconnus pas tout de suite la voix de Thierry. Elle était comme voilée, comme retransmise par une sorte d'écho infidèle et lointain.

— Que voulez-vous Thierry? Parlez plus fort.

— Ce n'est pas vous le vrai poète... Ce n'est pas vous qui désirez mourir cette nuit...

Ces mots étaient dits avec difficulté, comme hachés par une respiration pénible ou retenue.

— Monsieur Mazerolles... il faut savoir l'aimer... au delà de...

Un bruit sec: il avait sans doute raccroché violemment. Mais non. J'étais toujours en ligne.

— Allô! Thierry... Répondez-moi. Thierry...

Et c'est alors que, fulgurante, la lumière se fit, immédiatement brutale et tragique. Ce bruit sec: l'écouteur qui pendait et devait frapper le bois d'un lit ou d'un fauteuil... Je bondis hors de ma chambre.

— Madeleine... Madeleine, vite habille toi. Vite, la voiture...

Devant ce que je venais de pressentir, je retrouvais d'un coup l'usage total de ma volonté. J'appelai Caroline pour lui dire de se tenir prête, que j'arrivais dans cinq minutes.

— Que se passe-t-il, Jean-Claude? Dis-moi...

— Il s'agit de Thierry. Je t'expliquerai... Est-il seul chez lui?

— Oui. Sa mère est absente pour une semaine.

— As-tu la clé de son appartement?

— Non, mais je sais comment entrer. Qu'y a-t-il enfin? Dis le moi.

— Je crois qu'il vient de faire une bêtise très grave... Ne t'affole pas. J'arrive.

N'ayant rien d'autre sous la main, Madeleine avait remis sa robe de bal, et j'avais attrapé la première veste venue.

— Je t'indiquerai le chemin en roulant. Faisons vite.

Nous n'avions pas mis plus de cinq minutes en effet, pour aller d'Outremont au parc Lafontaine. Caroline était

152

devant chez elle. Je me poussai pour lui faire une place à mes côtés et elle nous guida pour trouver, dans Mont-Royal, la maison de son cousin.

— C'est par le sous-sol. Suivez-moi...

Un escalier. Un couloir. Nous courions derrière Caroline. Elle ouvrit une porte.

— Thierry... Thierry...

Ce n'était pas le moment de s'attendrir. Madeleine repéra tout de suite la saleté de tranquillisant ou de somnifère quelconque qu'il avait avalé.

— Aide-moi...

Avec elle, je pris Thierry, inerte, et sur la baignoire Madeleine, sans une seconde d'hésitation, lui enfonça deux doigts dans le fond de la bouche. La réaction fut immédiate. Nous étions arrivés à temps, mais il fallait sans doute un lavage d'estomac, davantage peut-être, et tout cela sans attendre.

Caroline était blême. Elle regardait Thierry avec un étonnement désespéré.

— Sois sans inquiétude maintenant. Je téléphone au docteur.

Moins d'une demi-heure plus tard, à l'hôpital, Thierry recevait tous les soins voulus. Il était définitivement sauvé. Madeleine alors, me fit sortir de la chambre.

— Attends-moi devant la porte.

Et comme je paraissais surpris :

— Oui, j'ai à parler à ton amie, mais ce ne sera pas long.

Thierry venait de s'endormir. Je laissai donc Madeleine et Caroline seules, et je sortis en refermant la porte derrière moi. Des fragments de conversation m'arrivèrent cependant. Tout pouvait se résumer en une seule phrase :

— Je n'ai rien contre vous mademoiselle, mais vous devez quitter Montréal tout de suite. Je dis bien tout de suite car c'est trop grave. Aussi bien pour vous que pour lui. Je suis sûre que vous le comprenez.

J'avais fait quelques pas pour ne pas donner l'impression d'écouter aux portes. La voix de Caroline vint cependant m'atteindre. Je me rapprochai. Madeleine avait dû lui dire qu'elle était jeune et qu'elle oublierait car j'entendis ces mots :

— Bien sûr. C'est simple à dire. Et si je n'oubliais pas? Si je continuais à vivre avec le désir sans cesse présent de cet amour qui m'a été révélé?

— Je vous comprends, mais vous devez faire votre vie, même... (elle hésitait) même si vous gardez la nostalgie d'une chose impossible. Croyez-moi. Quand vous aurez mon âge, la nostalgie aura pris le visage d'un bonheur qu'on aurait regretté de ne pas vivre. Tout est là Caroline: vivre. Thierry, demain, oubliera son suicide manqué. Il redécouvrira la chaleur du soleil et de l'amour.

Elles causèrent encore un moment mais à voix plus basse. J'eus l'impression d'une discussion vive et rapide. Puis la porte s'ouvrit. Madeleine me fixa d'un regard très doux, très bon.

— Dis lui adieu...

La voix du commandant de bord nous interrompt: «Nous survolons les côtes de France. À la droite de l'appareil, le port de Cherbourg.» Maryse s'est penchée vers le hublot:

— Bonjour le vieux pays! Et maintenant achevez, je vous en prie. J'ai l'impression d'être avec vous dans cette chambre.

— Oui... quelle ironie du sort! C'est dans une chambre d'hôpital que j'allais dire adieu à Caroline. Entre des murs blancs et nus. Devant le lit d'un jeune garçon de dix-sept ans qui dormait paisiblement et qui, quelques heures plus tôt, avait voulu s'enlever la vie...

— Alors ce ne pouvait être un véritable adieu.

— Pourquoi dites-vous cela?

— Parce que vous étiez tous traumatisés. Parce que vous vous jugiez tous plus ou moins coupables. Et vous avez cédé à une sorte de panique intérieure. Vous avez voulu vous punir à défaut de vous justifier.

Quelle femme! C'est à croire qu'après m'avoir fait tout raconter, qu'après avoir pénétré jusqu'au fond de ma conscience, elle y a trouvé aussi celle de Caroline.

— J'imagine tout de même combien ces instants furent douloureux aussi bien pour elle que pour vous. Mais que s'était-il passé exactement entre les deux femmes?

— Cela se résume à un geste qui, à première vue m'a révolté: Madeleine a voulu faire accepter à Caroline un chèque de cinq mille dollars, en lui disant à peu près ceci: «Vous devez quitter Montréal tout de suite. Déménagez pour un an au moins. Donc il est tout à fait normal que vous soyez aidée. Surtout ne montez pas sur de grands chevaux! N'allez pas dire que je vous achète ou, plus bassement, que je vous paye. Ce serait stupide et totalement faux. Mais il serait plus injuste encore que pour de simples difficultés matérielles vous en veniez à regretter ce que vous avez vécu avec Jean-Claude, à assombrir vos souvenirs. Voyez-vous Caroline, je n'ai pas d'enfants. Nous avons, mon mari et moi, plus que le nécessaire. Alors ne refusez pas si peu de chose. Et dites vous bien que vous avez apporté à un poète une richesse que seule la postérité, peut-être, saura vous payer lorsqu'elle aura le droit de mettre un nom sur les poèmes inspirés par votre jeunesse et votre amour.

— Cette richesse me suffira, madame.

— J'en suis sûre. Mais pas tout de suite.

— Vous savez très bien que je ne peux pas accepter.

— Alors écoutez moi bien Caroline. Je sais — et vous pouvez me croire je vous le jure — que les derniers poèmes de Jean-Claude, les vôtres, vont paraître dans quelques mois. Je sais qu'il a pris des dispositions pour que les droits d'auteur de ce volume vous soient intégralement versés. Oui... je vous dévoile une confidence. De toute façon vous l'auriez su par la maison d'édition. Ce n'est pas le premier auteur qui en décide ainsi et je dirai même que c'est presque normal. Donc, aucun scrupule à accepter cette somme que vous pouvez considérer comme une avance sur vos droits d'auteur. Si vous y tenez absolument, vous me rembourserez sur plusieurs années... et votre susceptibilité est sauve!

La discussion s'était poursuivie. Caroline se refusant, disait-elle, «à un tel marché». Mais elle ne soupçonnait pas la détermination de Madeleine et elle ne céda qu'au dernier argument.

— Je peux vous révéler également que si vous refusez de percevoir ces droits — car vous aurez un papier officiel à signer — le volume ne paraîtra jamais.

Que pouvait-elle répondre? Surtout devant cette menace sublime:

— Vous n'avez pas le droit de nous en priver.

Maryse a l'air absente. À moins qu'elle ne soit perdue dans ses pensées, troublée peut-être par ce que je viens de lui dévoiler.

— Jean-Claude, montrez-moi encore la seule lettre que vous ayez gardée de Caroline.

Je la lui tends et je lui fais remarquer que sur le dos de l'enveloppe j'ai griffonné les deux dernières strophes envoyées à leur inspiratrice!

— Vous pouvez les lire.

— Non, vous-même.

Je me rapproche et, sur un ton de confidence, je lis :

Nos coeurs sont toujours enlacés
Mais ne t'arrête pas de vivre
Pour être heureuse sois aimée
Car moi... je ne peux plus te suivre.

Trop d'années séparent tes jours
Des soirs qui tombent sur ma vie
Tu seras mon dernier amour
Et ma première âme infinie...

Là encore, le silence... Chaque vers est un battement de coeur qui se prolonge et qui veut croire à sa survie.

— Cette lettre, Jean-Claude, donnez-la moi.

— Je vous l'ai lue tout à l'heure. Caroline a mis dans ces lignes toute la raison d'être de notre amour...

— C'est bien pour ça que je vous dis «donnez-la moi». Pour qu'elle ne soit pas détruite. Car un jour, par la force des choses, vous la détruirez.

— Et vous, qu'en ferez-vous?

— Comme elle ne me concerne pas, je pourrai toujours la garder. Et vous saurez où elle se trouve: chez moi. Avec moi.

Maryse a sans doute raison et cependant j'hésite. Il me semble que ce geste est une trahison définitive. D'autre part, bien sûr, si je dois un jour reprendre une vie normale avec Lydia... ce que l'on cache avec le plus de soin arrive très vite à se faire découvrir.

— C'est si dur que ça de vous en détacher?

— Très dur. Je ne vous la donne pas. Je vous la confie seulement. N'oubliez pas ce qu'elle représente.

— Oui, Jean-Claude. Pourtant... après un adieu, êtes-vous bien certain de ce qu'elle représente encore? Au fond... elle n'est peut-être qu'une heure de votre vie.

Non. Elle ne peut pas être, elle n'est pas qu'une heure de ma vie. Ce n'est pas vrai et ce n'est pas possible. Je le ressens avec violence, viscéralement. Ce serait la négation de tout ce qu'il y eut de spontané, de merveilleusement illogique entre Caroline et moi. Il me faudrait donc protester, expliquer à Maryse, or je n'arrive pas à surmonter ce silence qui, de seconde en seconde, semble nous séparer.

Et c'est elle qui, brusquement, me ramène à moi avec des mots qui me cinglent comme lanières de fouet.

— Vous ne répondez rien? J'insulte votre amour et vous ne réagissez pas? Vous ne m'ordonnez pas de me taire? Mais alors Jean-Claude... êtes-vous à ce point lâche ou brisé? Une heure de votre vie! Cet éblouissement premier — je reprends vos termes —, cette exaltation sans limite, sans retenue qui vous rendait un coeur jeune et fou, cette passion qui vous a inspiré des vers d'amour qui compteront parmi les plus beaux vers d'amour, ce désir qui vous faisait courir dans la nuit vers ses bras et son lit... et jusqu'à cette inconsciente évasion au milieu de gens qui font pire sans doute mais qui se scandalisent quand le bonheur est trop voyant... tout cela, oui, vous accepteriez que tout cela ne se réduise qu'à une heure de votre vie? Il y a des marques dans votre dos qui se sont effacées sans doute. Pas les rayons qui ont brûlé votre âme.

— Taisez-vous Maryse, je vous en prie.

— Non. Nous allons arriver. Et c'est au moment où vous croyez que tout est fini, que tout doit finir — car je ne mets pas en doute votre souffrance — oui, c'est au moment où cet avion se posera sur un autre continent, dans un autre pays, que tout, vraiment, va commencer.

— Que voulez-vous dire?

— Vous m'avez répété que vous connaissiez bien les jeunes. C'est possible. Mais pas entièrement. Aujourd'hui, une jeune femme ne lâche pas le bonheur et l'amour lorsque par une chance inouïe elle les a croisés sur sa route. Caroline a de la volonté, disiez-vous il y a un instant, c'est vrai. Elle a une volonté: celle d'aller jusqu'au bout d'une aventure qui sera la plus valable et la plus inoubliable de sa vie.

— Mais qu'en savez-vous? Mais qui êtes-vous?

Je plonge mes yeux dans les yeux de Maryse... et c'est l'éclair: ces yeux, ce visage, jusqu'à la vibration de cette voix. Ce regard surtout. Mais oui, c'est le regard de Caroline, plus atténué, moins jeune, mais tout aussi

159

insistant, interrogateur et caressant. Cette fois je situe parfaitement Maryse : elle était à côté de Caroline le soir du bal. Je reste comme anéanti et ne fais que murmurer :

— Vous êtes sa mère?

— Seulement la soeur de sa mère. Son amie surtout. Depuis toujours sa confidente.

— Alors, depuis quand savez-vous?

— Depuis le premier jour.

J'ai la sensation de nager dans des lambeaux de nuages. Tout est devenu flou, irréel, lointain. C'est comme si je venais de croiser Caroline avec vingt ans de plus. Comme si je venais de lui raconter notre passé...» Tu te souviens Caroline, il y a... je ne sais plus. Le temps n'est plus le même qu'au temps de notre amour. Alors à quoi bon réveiller les ombres endormies? On ne vit pas de souvenirs, tu sais. C'est ce que disent les gens. Moi je crois que c'est le contraire. Ce sont les souvenirs qui vivent sans nous. Ils nous reconnaissent de moins en moins à mesure que glissent les années. Caroline... tu m'entends Caroline, as-tu vieilli? Avons-nous vraiment vécu ce que nous avons cru vivre? Non Caroline, car je n'ai pas osé te rejoindre. Le poète a griffé le mur. Un peu de sang sous les ongles. C'est tout. Une petite souffrance d'honneur pour le repos du bourgeois. Pardon Caroline, pardon. Je ne peux cesser de t'aimer...

Presque à mon oreille, un cri : «Jean-Claude», et je sursaute.

— Eh bien! Jean-Claude, qu'avez-vous? Je n'ai pas voulu vous blesser, mais savoir ce qui restait en vous d'amour pour Caroline.

160

— Je viens de vous dire que je ne peux cesser de l'aimer. Que si je m'écoutais, sans sortir de l'aéroport, je reprendrai l'avion pour Montréal et Vancouver.

— Pour la rejoindre?

— Oui.

— Et si c'était elle qui...

Je n'ai pas laissé achever Maryse. L'exaltation, je le sens, m'habite de nouveau. Toutes ces dernières semaines n'auraient-elles été qu'un mauvais cauchemar?

— Je ne pense pas qu'elle puisse vous rejoindre, mais... (son regard, le regard de Caroline, me traverse une fois encore) mais elle peut vous attendre.

J'ai saisi Maryse par les épaules. Mes yeux interrogent, car je n'ose comprendre.

— Calmez-vous, Jean-Claude.

Elle ouvre son sac avec une lenteur voulue. Fouille tout en me regardant. En retire une enveloppe. Referme. Son calme a quelque chose d'énervant.

— Tout a commencé par une lettre, n'est-ce pas? Tout peut recommencer par une autre. Prenez. Ce n'est que plus tard que vous pourrez me dire laquelle des deux vous avez préféré.

Je reconnais tout de suite le papier, l'écriture, et je lis:

«Mon amour,

Ce n'est pas possible... seule, si loin, sans te savoir dans la même ville, sous le même ciel, dans les mêmes rues. Non ce n'est pas possible. Tout en moi est encore trop chaud, trop tendu vers toi. Je pars. Qu'importe le

161

reste! Je pars t'attendre… au petit bonheur pour mieux revivre ma chance!

C'est la période de l'année où Maryse va faire, à Paris, ses choix pour sa boutique. Je lui ai communiqué la date de ton départ. Elle a fait coïncider, c'était facile. Et comme elle connaît très bien le responsable de la compagnie à Mirabel, le «hasard» t'a placé à côté d'elle.

Moi je serai à Roissy. Oui je t'attends mon chéri. Je t'attends avec la même passion, le même désir, la même tendresse. Ce n'est plus demain qui importe pour moi, mais aujourd'hui, mais maintenant, mais tout de suite mon amour… Caroline. »

Maryse a pris ma main. Elle partage, j'en suis sûr, mon émotion que je tente de dominer. Mais comme c'est étrange! C'est une voix depuis longtemps perdue que j'entends dans le bruit assourdissant des moteurs. Une voix qui vient de traverser des espaces de temps pour me redire: «N'aie jamais honte d'une larme lorsqu'elle est venue de ton coeur.» Où êtes-vous Denise, belle et ardente maîtresse d'une nuit de mes vingt ans? Et pourquoi être volontairement partie? Vous aussi aviez trop lu Baudelaire:

«Aimer à loisir
Aimer et mourir
Au pays qui te ressemble!»

Tous les pays se ressemblent. Tous les amours sont une invitation au voyage. Ce sont les voyages seuls qui diffèrent. Je le sais maintenant puisque le mien, le nôtre, pour Caroline et pour moi, n'était pas achevé. Libre à lui de nous cacher ses secrets. Folie... Raison...? Je ne veux pas les connaître, même si je pressens leur poids de bonheur et de larmes. Désormais, il y aura en moi quelque chose prêt à se déchirer comme se déchirent sous les ailes de ce Boeing, les molles vapeurs du matin.